IL LIBRO D'ORO
IRLANDA

Testo:
FRANCES POWER

Fotografie:
GHIGO ROLI

O'BRIEN
DUBLIN

BONECHI
WORLD PUBLISHER

Whitepark Bay
Ballintoy
Giant's Causeway
Carrick-a-rede Bridge
Inishowen
Dunluce Castle
Bushmills Distillery
Torr Head
Bunbeg
Grianan of Aileach
Glen of Antrim
Carnlough
ANTRIM
Glenarm
Malin Beg
Derry
DERRY
Ballymena
Letterkenny
NORTHERN
Carrickfergus
DONEGAL
Donegal
TYRONE
ULSTER
Ulster History Park
Lough Neagh
Killybegs
Boa Island
Omagh
IRELAND
BELFAST
Mount Stewart
Benbulben
Lower Lough Erne
Enniskillen
Armagh
DOWN
Drumcliff
Sligo
FERMANAGH
Navan Fort
St Patrick's Cathedral
Downpatrick
Carrowmore
Parke's Castle
Upper Lough Erne
Monaghan
ARMAGH
Mourne Mountains
Ballina
SLIGO
LEITRIM
MONAGHAN
Silent Valley
Newcastle
Lough Conn
Carrick-on-Shannon
Cavan
Kilkeel
Greencastle
Castlebar
Boyle
CAVAN
Dundalk
LOUTH
St Muiredach's Cross
MAYO
ROSCOMMON
Longford
Mellifont Abbey
Drogheda
Westport
CONNAUGHT
Lough Ree
LONGFORD
Navan
Newgrange
Kylemore Abbey
Lough Mask
Cong
Roscommon
Trim Castle
Bective Abbey
Hill of Tara
Clifden
Ross Errilly Abbey
MEATH
R. Boyne
GALWAY
Royal Canal
Mullingar
Castletown House
DUBLIN
Lough Corrib
WESTMEATH
DUBLIN
Galway
Ballinasloe Fair
Clonmacnois Monastery
LEINSTER
Dun Aenghus
Inishmore
Ballyvaughan
Dunguaire Castle
River Shannon
OFFALY
Japanese Gardens
KILDARE
Naas
ARAN ISLANDS
The Burren
Aillwee Caves
Poulnabrone Dolmen
Tullamore
Irish National Stud
Grand Canal
Glendalough
Doolin
Lisdoonvarna
Birr
Portlaoise
WICKLOW
Wicklow
Cliffs of Moher
CLARE
Lough Derg
LAOIS
Ennis
Nenagh
Browne's Hill Dolmen
Bunratty Castle
Carlow
Shannon
King John's Castle
Limerick
TIPPERARY
Kilkenny
CARLOW
Adare Village
Lough Gur
The Castle
R. Barrow
LIMERICK
Rock of Cashel
KILKENNY
WEXFORD
Tralee
MUNSTER
Jerpoint Abbey
Kilmakedar Church
Conor Pass
R. Suir
Wexford
Gallarus Oratory
Inch
KERRY
Waterford Crystal
Dingle Village
Killarney
WATERFORD
Hook Head Lighthouse
Kilmore Quay
Dunbeg Fort
Lakes of Killarney
R. Blackwater
Dungarvan
CORK
Ring of Kerry
Kenmare
Cork City
Garnish Island
Cobh Village
Seal Island
Kinsale
Timoleague Abbey
Bantry House
Drombeg
Barleycove Beach
Mizen Head

○ Città, paesi

● Località di interesse storico, artistico e turistico

I toponimi in neretto indicano le località descritte in questa pubblicazione.

2

INTRODUZIONE

L'Irlanda ha avuto una storia travagliata, con ondate su ondate di colonizzatori, ognuna delle quali ha lasciato il proprio segno nel paesaggio in forma di megaliti, monasteri, castelli o grandi magioni di campagna. I primi insediamenti, intorno al 6000 a.C., furono di popolazioni che traevano il loro sostentamento dalla caccia e dalla raccolta di quanto l'ambiente offriva, seguiti da agricoltori dell'Età della Pietra che disboscarono appezzamenti di terra per coltivarli e lasciarono grandi monumenti in pietra, dolmen e cerchi megalitici diffusi in tutto il paese. Con l'Età del Bronzo, intorno al 1500 a.C. si giunse a una maggiore elaboratezza nelle costruzioni: gli impressionanti forti di Dun Aenghus sull'isola di Inishmore e di Grianán of Aileach nel Donegal risalgono a quel periodo. Grosso modo mille anni dopo, dall'Europa Centrale arrivarono in Irlanda i Celti. Vivevano in strutture difensive come i "forti ad anello", "raths" e "crannógs", più di trentamila dei quali giunti sino a noi. La loro abilità nella lavorazione dei metalli può essere ammirata negli splendidi bronzi in mostra al National Museum di Dublino. Sotto i Celti, l'Irlanda fu divisa in cinque province, quattro delle quali, Ulster, Munster, Leister e Connaught, ancora esistono. Ogni provincia era suddivisa in molti piccoli regni retti da un capo-clan, e tutti erano sottoposti, a quanto si ritiene, all'autorità di un Gran Re che, secondo il mito, regnava da Tara, nella contea di Meath.

Nel 432 giunse San Patrizio, e molti altri missionari seguirono da presso, e gradualmente il cristianesimo si diffuse nell'Irlanda pagana. Mentre l'Europa soffriva il caos dei Secoli Bui, l'Irlanda diveniva un centro di evangelizzazione e di studi. Missionari come San Colombano si recarono in Europa per organizzarvi scuole e università. Molti dei monasteri dell'Irlanda risalgono a quel periodo: i più importanti erano Clonmacnois sullo Shannon, Glendalough, nella contea di Wicklow, e Kells, dove potrebbe essere stato redatto il magnifico Libro di Kells. Questi monasteri contenevano grandi tesori, tabernacoli d'oro finemente lavorati e, naturalmente, libri miniati. E fu la brama di tesori come questi che alla fine dell'VIII secolo attirò in Irlanda la successiva ondata di invasori, i Vichinghi. Il loro arrivo ebbe anche l'effetto di innescare il primo tentativo di unione irlandese a scopo difensivo. Nel 1014, alla battaglia di Clontarf, il Gran Re d'Irlanda, Brian Boru, guidò contro le armate scandinave una coalizione di capi gaelici. Ottennero una vittoria decisiva. I Vichinghi che non fuggirono si unirono a donne irlandesi e, almeno per qualche anno, ci fu un periodo di pace.

Poi, nel 1169, una disputa indusse il deposto Dermot MacMurrough, re di Leinster, a rivolgersi a Enrico II d'Inghilterra perché lo aiutasse a riconquistare il suo regno. Enrico accolse la richiesta e inviò in Irlanda Richard FitzGilbert de Clare, noto come Strongbow, con

Uno dei molti dolmen costruiti nell'Età della Pietra.

le sue armate anglo-normanne, e iniziò così la prima fase del dominio inglese. Strongbow sposò la figlia di MacMurrough, Aoife, e divenne alla fine re di Leinster, ponendo saldamente gli Anglo-Normanni al potere. Malgrado gli enormi sforzi dei sovrani inglesi e l'emanazione degli Statuti di Kilkenny che proibivano i matrimoni misti, l'uso della lingua o dei costumi tradizionali irlandesi, nel Quattrocento gli Anglo-Normanni erano ormai ben integrati nella cultura gaelica, e la sfera d'influenza inglese si era ridotta a una piccola zona nei pressi di Dublino conosciuta come "the Pale", "il Recinto".

Non fu che con il regno di Elisabetta I che il potere dei capo-clan fu permanentemente schiacciato. La sconfitta più significativa fu quella dei conti dell'Ulster nella battaglia di Kinsale, nel 1601. Alcuni anni dopo, in quella che divenne nota come "la Fuga dei Conti", i grandi capo-clan dell'Ulster, O'Neill e O'Donnell, abbandonarono l'Irlanda con un vasto seguito e salparono per il continente, segnando la fine del dominio dell'aristocrazia gaelica sull'Irlanda. Il vuoto di potere che ne seguì, e il fatto che grandi appezzamenti di terra in precedenza appartenuti a quei gaelici furono confiscati dalla Corona, aprirono la strada alla colonizzazione su larga scala dell'Irlanda, principalmente da parte di coloni scozzesi presbiteriani e inglesi. Quando i cattolici irlandesi del posto furono cacciati dalla terra per far posto ai coloni, fu gettato il seme del conflitto che per lunghissimi anni avrebbe poi insanguinato l'Irlanda del Nord. Intorno al 1640 Oliver Cromwell spostò la sua attenzione dalla Guerra Civile inglese a un sollevamento in Irlanda che fu stroncato con una durezza senza precedenti. Vent'anni dopo, decimati dai massacri di Cromwell, la peste e la carestia che ne seguirono, rimanevano solo mezzo milione di Irlandesi. Una serie di atti conosciuti come le Leggi Penali completarono poi la sottomissione dei cattolici irlandesi e dei Dissidenti, una frazione della Chiesa Anglicana, limitandone la libertà di culto, la cultura, il diritto alla proprietà e il potere. Per il secolo che seguì sarebbe toccato agli Anglo-Irlandesi protestanti, che stavano vivendo un periodo di notevole prosperità e quindi di sicurezza, cercare una qualche misura di indipendenza dal governo coloniale.

Nel 1782 la classe dirigente angloirlandese ottenne un parlamento virtualmente indipendente a Dublino, e inoltre le peggiori tra le Penal Laws furono abrogate. Tuttavia, nel 1798, sotto l'influenza della Rivoluzione francese, iniziò la rivolta degli United Irishmen. Ebbe vita breve e sfortunata. Per risposta venne emanato nel 1800 l'Act of Union che sanciva l'unione del parlamento irlandese con quello di Westminster e poneva di fatto fine all'indipendenza irlandese.

I contadini irlandesi ricevettero poi un altro duro colpo devastante. Dal 1845 al 1849 i raccolti di patate andarono perduti. Si trattava del principale alimento con cui due terzi della popolazione sopravviveva e la sua perdita condusse a una carestia di proporzioni inimmaginabili, riducendo per emigrazione, malattia o fame la popolazione da otto milioni ai quattro milioni del 1900. Malgrado questa devastante situazione, il movimento patriottico continuò a crescere in forza per tutto il XIX secolo. E fu lo sviluppo di movimenti di massa come la Land League e il movimento dello Home Rule – che unì le varie frange nazionaliste per aumentare la pressione da esercitare sul governo inglese – che segnò la crescita di un'unificante identità nazionale.

Nel 1912, malgrado la strenua opposizione dei protestanti dell'Ulster, fu finalmente approvato uno "Home Rule Bill", ossia una legge per il governo locale. Ma prima che la legge potesse essere messa in atto scoppiò la Prima Guerra Mondiale e irlandesi sia del nord che del sud furono arruolati in gran numero per combattere per l'In-

Pagina a fronte, in alto: una statua in pietra di Giano risalente all'Irlanda pagana. Sotto: allo stesso periodo si ritiene che risalgano alcuni miti e leggende irlandesi, compresi quelli relativi a fate e leprecauni.

In questa pagina: ciascun periodo della storia irlandese ha lasciato il suo segno nel paesaggio. In alto, a destra: il monastero di Glendalough, nella contea di Wicklow, del VI secolo. Sotto: l'abbazia di Jerpoint, nella contea di Kilkenny, che risale al XII secolo.

ghilterra. Nel 1916 si ebbe un'altra insurrezione. Sotto la guida di Eamon de Valera fu installato a Dublino un governo provvisorio, con Michael Collins a capo dell'ala militare, e iniziò la Guerra d'Indipendenza.

Nel 1920 l'Atto del Governo d'Irlanda creava parlamenti separati per il Sud, che comprendeva le ventisei contee dell'attuale Repubblica, e il Nord, comprendente le sei contee di Antrim, Tyrone, Derry, Down, Armagh e Fermanagh. Michael Collins, tra gli altri, negoziò un trattato di pace con gli Inglesi, ma l'insoddisfazione di de Valera per le sue condizioni condusse alla guerra civile. Alla fine la pace fu raggiunta, ma solo dopo aspri combattimenti.

Nel 1937 de Valera presentò la costituzione che da allora ha salvaguardato in Irlanda i diritti civili, e nel 1948 fu dichiarata la Repubblica d'Irlanda, da cui rimanevano escluse le sei contee.

Nel Nord, dopo la divisione, il potere era rimasto in larga parte in mano protestante e c'era una diffusa discriminazione anti-cattolica, in particolare per ottenere un lavoro o una casa. Nel 1968 le manifestazioni per la parità di diritti sfociarono in sanguinosi tumulti tra cattolici e lealisti. Fu inviato l'esercito inglese, inizialmente per difendere la minoranza cattolica, ma gli eventi precipitarono: nel 1971 fu introdotta una legislatura che prevedeva la carcerazione senza processo, nel 1972, in quella che divenne famosa come la Domenica di Sangue, la Bloody Sunday, i paracadutisti inglesi aprirono il fuoco su un corteo uccidendo tredici manifestanti inermi. L'IRA Provisional lanciò una campagna di attentati dina-

mitardi che uccise o mutilò centinaia di persone. Per contro le organizzazioni paramilitari lealiste risposero con una serie di omicidi. Il violento conflitto, conosciuto come "The Troubles", "Disordini", si protrasse per più di trent'anni, provocando la morte di oltre 3000 persone. Dopo numerosi cessate il fuoco e molti tentativi di soluzioni negoziali, nel 1998 si giunse alla firma del Belfast Agreement, il cosiddetto "Accordo del Venerdì Santo". Nel 2007 in Irlanda del Nord tornò a instaurarsi un governo locale decentrato.

Nel 1991 la Repubblica d'Irlanda elesse la prima presidente donna, Mary Robinson, costituzionalista, seguita nel 1997 da Mary McAleese, avvocato ed ex professore di Diritto, primo capo dello Stato di origine nordirlandese. Gli anni '90 del Novecento videro rifiorire l'interesse per la cultura e la lingua irlandesi, ma anche un nuovo spirito liberale che condusse, fra l'altro, alla legalizzazione del divorzio. Il travolgente sviluppo economico che contraddistinse il periodo 1995-2007, meglio noto come "Tigre celtica", portò una ricchezza senza precedenti, la piena occupazione della popolazione, ma anche un'impennata dei prezzi e l'arrivo di crescenti flussi di immigrati. E così, anche se ormai è passato, il boom economico ha lasciato un'eredità di diversità che è andata ad aggiungersi alla già ricca cultura irlandese.

Tuttavia in Irlanda ci sono cose che non cambiano e non cambieranno mai: la bellezza del paesaggio, le tradizioni davvero uniche, la ricchezza del patrimonio musicale e narrativo, e, naturalmente, la piacevole arte del conversare.

Il volto moderno di Dublino: l'International Financial Services Centre.

Clima e Flora

*I*n Irlanda il tempo cambia continuamente ed è piuttosto normale avere diverse condizioni climatiche nella stessa giornata. L'influsso caldo della Corrente del Golfo e la prevalenza di venti occidentali provenienti dall'Atlantico garantiscono comunque inverni miti ed estati fresche, con abbondanza di piogge e di vento e una temperatura media di 9°-10,5°C. E poiché l'Irlanda si trova a una latitudine media, con solo quattro gradi di differenza tra nord e sud, non ha estremi nelle condizioni climatiche.

Si possono tuttavia distinguere leggere differenze tra le regioni: il nord-ovest è più ventoso e più umido, per esempio, del sud-est, che vanta il numero maggiore di ore di sole.

Anche la topografia è ricca di contrasti e fornisce un'ampia gamma di ambienti per la flora. A ovest, il tavoliere calcareo del Burren ospita rare specie di piante più spesso rinvenute in condizioni di clima mediterraneo o alpino-artico. La zona costiera è punteggiata di dune sabbiose, in particolare in Wexford, Donegal, Kerry e Mayo, che in estate si ricoprono di un variopinto assortimento di fiori selvatici come le orchidee e il trifoglio a zampa d'uccello. Nell'interno, l'abbondanza di piogge e lo scarso drenaggio hanno prodotto zone paludose e maremme piene di canneti, violette di palude, teucrio d'acqua, roveti e more selvatiche, mentre tratti acquitrinosi nelle midlands producono erica, erioforo, mortella di palude e una gran varietà di erbe.

In alto, a destra: *in Irlanda il tempo può cambiare da un momento all'altro.* Sotto, a destra e a sinistra: *e la sua mitezza produce una flora incredibilmente varia.*

Economia e industria

Durante il periodo del boom economico che prese il nome di "Tigre celtica" e che iniziò alla metà degli anni '90 del Novecento, l'economia della Repubblica conobbe una significativa trasformazione. L'inflazione scese al livello più basso mai raggiunto, mentre fiorirono nuove industrie, soprattutto nel settore dell'elettronica e delle comunicazioni, e le compagnie straniere poterono approfittare di generosi sgravi fiscali e di una manodopera qualificata e preparata. Fu necessario reclutare all'estero altri lavoratori, molti per il settore delle costruzioni, impegnato a far fronte alla domanda di nuove case, nuovi appartamenti, nuovi hotel, nuovi uffici. Tuttavia, l'economia fu gravemente colpita dalla recessione che a partire dal 2008 interessò tutto il mondo e si imposero sostanziosi tagli finanziari per tentare di invertire la spirale che rischiava di travolgerla.

L'Irlanda del Nord dipende ancora pesantemente dagli investimenti del governo britannico, e tuttavia la fine dei conflitti ha prodotto un progressivo incremento del numero dei visitatori nel paese, e soprattutto ha favorito un nuovo clima di fiducia capace di attirare gli investitori stranieri.

L'Irlanda è stata da sempre, tradizionalmente, un paese prevalentemente agricolo, dove l'allevamento e le industrie lattiero-casearie hanno rappresentato, e rappresentano ancora, una risorsa estremamente importante. L'ingresso nell'Unione Europea, nel 1972, comportò un autentico boom per l'agricoltura, con un significativo incremento dei profitti in questo campo. Tuttavia, la caduta dei prezzi e il richiamo della vita in città continuarono a incentivare l'abbandono delle campagne: si stima che attualmente circa il 40% della popolazione della Repubblica, che si aggira intorno ai 4,5 milioni di abitanti, risieda entro un raggio di 100 km intorno alla città di Dublino.

Il turismo costituisce ancora uno dei settori chiave dell'economia dell'Irlanda, un paese energicamente pubblicizzato come meta adatta ad ogni periodo dell'anno grazie alle sue attrattive: attività culturali, golf, passeggiate, sport acquatici tra cui anche alcuni meno "tradizionali" come il surf, un paesaggio incontaminato e la capacità di proporsi come meta per i buongustai, con i suoi prodotti freschi, i numerosi produttori artigianali e i rinomati chef capaci di imprimere rinnovato slancio alla cucina tradizionale irlandese. Una nuova leva di artigiani, artisti, tessitori, ceramisti, creatori di gioielli, si è stabilita nelle aree più remote – Kerry, Cork occidentale, Connemara, Donegal –, producendo raffinati esempi di artigianato irlandese, celtico e moderno da proporre ai turisti. Un'altra importante risorsa economica è rappresentata dalla pesca, e ben pochi visitatori lasciano l'Irlanda senza aver gustato salmone affumicato, gamberetti della Baia di Dublino, ostriche e cozze.

La musica tradizionale rappresenta un prodotto da esportazione di sempre maggiore successo, da quando nei lontani anni '70 del Novecento essa cominciò a sperimentare una rinascita con la fusione tra musica rock e tradizionale di cui sono tipici esponenti gruppi come Planxty e Horslips. Oggi musicisti come Van Morrison, Sinead O'Connor, Christy Moore e Paul Brady reinventano antiche melodie e ne aggiungono di nuove, mentre artisti irlandesi rinverdiscono la loro musica con influenze e strumenti provenienti da luoghi lontani quanto l'Africa e l'Australia. In altri settori della musica irlandese altri talenti, come gli U2, Enya, The Script e Westlife, dominano le classifiche musicali, e il Riverdance show, che unisce musica e danze irlandesi, ha percorso il mondo intero.

Altre nuove industrie si basano sulla produzione culturale: nel 1993 è stato ricostituito lo Irish Film Board, l'ente nazionale di produzione cinematografica, e fu varato un nuovo sistema fiscale che favorisse gli investimenti nel settore. I risultati furono immediati, e ora una vivacissima industria cinematografica è una realtà consolidata, che ha da offrire sia rinomati registi come Neil Jordan, Jim Sheridan e Noel Pearson, che film di esordienti premiati in varie rassegne, dimostrando così che l'antica tradizione narrativa è viva e ben si esprime in un nuovo mezzo.

Industrie tradizionali come l'allevamento dei cavalli e la pesca (pagina accanto) vivono ancora accanto all'artigianato (in questa pagina) come la ceramica, l'oreficeria, e gli intramontabili maglioni di Aran.

DUBLINO

Situata in una vasta insenatura naturale che si stende da Howth a nord a Dalkey a sud, Dublino è divisa in due dal fiume Liffey, che attraversa la città per gettarsi nella baia di Dublino. Un tale approdo riparato ha attratto i primi insediamenti 5000 anni fa, e intorno a Dublino e lungo la costa sono state trovate tracce di quell'antica cultura. Ma non fu che quando i Vichinghi presero a veleggiare lungo la costa orientale, alla metà del IX secolo, che Dublino divenne una città importante. Dopo di loro arrivarono avventurieri anglo-normanni inviati da Enrico II d'Inghilterra nel 1169 rispondendo a una richiesta di rinforzi fatta da Dermot MacMurrough, deposto re di Leinster. Iniziò così il lungo processo di colonizzazione che avrebbe segnato i termini dello sviluppo dell'Irlanda nei successivi settecento anni. Gli Anglo-Normanni rimpiazzarono l'insediamento vichingo con una città medievale cinta da mura, e le strutture lignee delle cattedrali di Christ Church e di St Patrick furono ricostruite in pietra. Per evitare che gli Anglo-Normanni divenissero troppo indipendenti, Enrico II stabilì una corte a Dublino, e la città divenne il centro del suo potere in Irlanda.

Nel Settecento la città era ormai in piena fioritura. Le proprietà degli Anglo-Normanni e dei successivi coloni inglesi, discendenti di quegli avventurieri che erano stati ricompensati dalla corona inglese con terre confiscate a capo-clan gaelici ribelli o a Anglo-Normanni infedeli, davano dei cospicui profitti. Ne seguì un periodo di relativa stabilità, e conseguentemente di prosperità. I segni del periodo di splendore georgiano sono chiaramente visibili in tutta Dublino. Alcuni dei più grandi architetti dell'epoca ridisegnarono la città, sovrapponendo alla confusione esistente un ordine formale, con ampie e sicure strade, graziose residenze cittadine e piazze dalle dimensioni generose. Abili scalpellini, stuccatori e artigiani vennero da tutta Europa per decorare quegli eleganti edifici. Dopo il 1800 e l'Atto di Unione, che sciolse il parlamento irlandese, Dublino cadde in un periodo di depressione. Molti dei membri della classe dirigente anglo-irlandese si trasferirono a Londra, disinteressandosi delle loro proprietà. Le splendide case georgiane che si erano lasciati dietro decaddero in squallidi edifici divisi in appartamenti.

Il vigore civico dell'epoca vittoriana creò alcuni nuovi edifici pubblici degni di nota, ma il recupero e il mantenimento delle primigenie gemme architettoniche si deve principalmente alla filantropia di uomini d'affari come i Guinness. Le strade di Dublino pagarono il loro tributo alla lotta per l'indipendenza e alla Guerra Civile del 1922, e molti importanti edifici rimasero segnati dai combattimenti. Da allora l'abbandono e la mancanza di prospettive sono stati responsabili della perdita di molti begli edifici, come per esempio la splendida vista di Winetavern Street dalla cattedrale di Christ Church, oscurata dai massicci cilindri degli edifici del Civic Office, soprannominati "bunker". Verso la fine degli anni '80, insieme a un periodo di crescita economica, comparve una nuova coscienza delle energie architettoniche della città, e da allora è stato fatto un grande sforzo per recuperare l'eredità georgiana di Dublino piuttosto che demolirla. Il fitto intrico di magazzini e stretti vicoli settecenteschi di Narrow Bar è diventato, ad esempio, un modello di recupero e moderna sperimentazione architettonica. La baia di Dublino che ha attratto successive ondate di invasori è ora difficile da individuare sotto lo sviluppo incontrollato della città e dei suoi sobborghi che accolgono una popolazione di oltre un milione di abitanti. L'area metropolitana di Dublino sta cambiando in fretta, e la velocità di questo cambiamento è in parte alimentata dalla sua giovane popolazione – oltre il cinquanta per cento degli abitanti è sotto i venticinque anni di età – che le ha dato nuova vita. L'odierna Dublino è una città piena di fascino con una vivace vita culturale, abbastanza piccola da risultare cordiale, ma con una prospettiva cosmopolita.

LA DUBLINO SUD-ORIENTALE

Il Trinity College

Il **Trinity College** è la più antica università del paese, fondata nel 1592 dalla regina Elisabetta I d'Inghilterra sui terreni confiscati dell'ex Priorato di Ognissanti. Fino ad allora la classe dirigente protestante anglo-irlandese aveva mandato i propri figli a studiare sul continente, dove essi correvano il rischio di essere "infettati dal papismo". Il Trinity doveva divenire il centro dell'educazione protestante, e per 250 anni fu la sola università d'Irlanda. Continuò ad essere frequentata in maggioranza da protestanti fino alla seconda metà del XX secolo: fino al 1966 i cattolici che studiavano al Trinity dovevano ottenere una speciale dispensa dal loro arcivescovo o rischiavano la scomunica. Nel 1990, ad ogni modo, circa il settantacinque per cento degli ottomila studenti del Trinity erano cattolici.

Il college sorge nel cuore di Dublino. La sua facciata curva, di novanta metri, chiude la lunga prospettiva di Dame Street, una delle più trafficate vie della città. Se oggi niente dell'originale edificio cinquecentesco è sopravvissuto, il campus offre tuttavia un'affascinante guida all'opera di molti importanti architetti di diverse epoche. La sobria facciata, che fa da contraltare all'esuberanza dell'edificio della Banca d'Irlanda che le sta di fronte, fu progettata alla metà del XVIII secolo da Theodore Jacobsen. Dietro la facciata si aprono varie corti interne in acciottolato, collegate l'una all'altra, circondate da edifici per lo più risalenti al Settecento, con alcune aggiunte vittoriane e novecentesche.

La prima e più grande di queste corti è la **Front Square** o **Parliament Square** (fu il Parlamento a sostenere i costi di costruzione). Su due lati della Front Square due ali di pensionati studenteschi testimoniano il ruolo vivacizzante che il Trinity svolge nella vita sociale e culturale di Dublino. Oltre gli alloggiamenti e leggermente arretrati rispetto alla Front Square, si trovano due porticati gemelli – quello della **Exam Hall** a destra e quello della **Chapel** a sinistra, con splendidi lavori in gesso di Michael Stapleton – entrambi disegnati in stile Neoclassico dall'architetto scozzese Sir William Chambers. Costruiti negli anni '80 del Settecento, furono l'ultima aggiunta georgiana all'università. Oltre la Chapel sorge la **Dining Hall**, progettata intorno al 1740 dall'architetto tedesco Richard Cassells, cui si deve gran parte della Dublino georgiana. Distrutta da un incendio nel 1984, è stata splendidamente restaurata, e l'edificio adiacente, l'**Atrium**, è stato completamente svuotato per ricavare uno spazio alto tre piani dominato da gallerie di legno, dedicato al teatro, al balletto e alle esecuzioni musicali. Nel centro della Front Square, nel punto dove si ritiene sorgesse l'altare del Priorato di Ognissanti, si erge il **campanile** barocco di epoca vittoriana, donato nel 1853 dall'arcivescovo di Armagh. Durante la settimana dedicata alle sfilate goliardiche per le collette di beneficen-

Sopra: il Trinity College, fondato nel 1592 dalla regina Elisabetta I, è la più antica università d'Irlanda. Sotto: i prati sono pieni di sculture, sia moderne, come questa "Sfera con sfera" di Arnaldo Pomodoro, che classiche.

A sinistra: *si crede che il campanile segni il punto dove sorgeva l'altar maggiore del Priorato di Ognissanti.* A destra: *l'ex rettore George Salmon effigiato dallo scultore John Hughes.*

za, il campanile è spesso addobbato con biciclette e altre insolite decorazioni.

I **Rubrics**, gli alloggi degli studenti in mattoni rossi posti subito dietro il campanile, risalgono al 1701 e al regno della regina Anna, ma anche essi furono rimodernati in epoca vittoriana. A Richard Cassells si deve anche la **Printing House**, un tempio dorico in miniatura nonché gioiello architettonico che sorge nella **New Square**, dietro i Rubrics. Terminato nel 1734, fu il suo primo lavoro a Dublino. Un altro edificio degno di nota nella stessa piazza è il **Museo**, disegnato nel 1852 in stile gotico veneziano da Sir Thomas Deane e Benjamin Woodward e che doveva influenzare il lavoro degli architetti per il resto del secolo. All'esterno si trovano splendide sculture in pietra raffiguranti animali, fiori e frutti, mentre il grandioso interno in marmo ospita lo scheletro del gigantesco alce irlandese. Deane e Woodward ampliarono inoltre la **Trinity Library**, progettata nel 1792 da Thomas Burgh.

Nel corso degli anni '70 e '80 del Novecento furono aggiunti moderni edifici come lo **Arts Block**, un complesso in cemento a gradinate destinato ad accogliere una biblioteca e la sala di lettura, e la **Berkeley Library**, con la sua massiccia facciata in granito e cemento, progettati entrambi da Ahrends, Burton e Koralek, che abbracciano i rimanenti lati della piazza formata dalla biblioteca di Burgh. Affacciato sui **campi di gioco**, il Samuel Beckett Theatre Centre, un'alta struttura lignea su palafitte disegnata dagli architetti dublinesi de Blacam e Meagher nei primi anni '90, ospita due teatri destinati agli studenti e ai lavori sperimentali.

Il campus è popolato da molte interessanti sculture, tanto moderne che di gusto classico: quelle all'esterno della parte anteriore del Trinity commemorano due famosi ex allievi, il filosofo e oratore Edmund Burke (1729-97) e Oliver Goldsmith (1728-74), autore di *Ella si umilia per conquistare* (She Stoops to Conquer) e *Il vicario di Wakefield* (The Vicar of Wakefield). Molti altri famosi personaggi anglo-irlandesi hanno studiato al Trinity, tra cui si ricordano lo scrittore satirico Jonathan Swift (1667-1745), il patriota Wolf Tone (1763-98), Oscar Wilde (1854-1900), J.M. Synge (1871-1909), il cui *Furfantello dell'Ovest* (Playboy of the Western World) causò delle sommosse alla prima rappresentazione avvenuta allo Abbey Theatre, e il Premio Nobel Samuel Beckett (1906-91).

Sopra: *la Long Room della Trinity College Library. La biblioteca custodisce il manoscritto miniato dell'VIII secolo conosciuto come* Il libro di Kells. *Sotto, a sinistra:* un busto dello scrittore satirico Jonathan Swift, che studiò al Trinity College.

La Trinity Library

Progettata nel 1792 da Thomas Burgh, la **Trinity Library** contiene la famosa **Long Room** che, lunga 64 metri e larga 12,2, è la più grande biblioteca d'Europa in un solo ambiente. Nel 1859, Sir Thomas Deane e Benjamin Woodward aggiunsero un soffitto a botte che dona alla biblioteca ulteriore spazio, sempre necessario, e una grande eleganza.

Il più conosciuto dei tesori della biblioteca è *Il libro di Kells*, un manoscritto dell'VIII secolo dei quattro Vangeli compilato o nello *scriptorium* del monastero di Kells, nella contea di Meath, o sull'isola di Iona, al largo della Scozia. Molti monasteri irlandesi avevano annessi degli *scriptoria* dove gli amanuensi si affannavano su leggende precristiane, racconti epici e storie, oltre naturalmente che sulle scritture. Sui margini, essi scribacchiavano versi di lode o di protesta, alcuni dei quali molto arguti. È grazie a quegli amanuensi, e ai missionari che si recarono sul continente durante i Secoli Bui, che l'Irlanda si guadagnò l'appellativo di "Terra di santi e studiosi". Quei manoscritti miniati erano grandemente apprezzati e perciò sotto la continua minaccia di furto: alcune pagine all'inizio e al termine di *Il libro di Kells* sono andate perdute, probabilmente quando il libro fu trafugato a Kells nel 1006 e privato della sua rilegatura d'oro.

Sopra: *l'esterno della rotonda della National Library in Kildare Street e, sotto, l'interno.*

La National Library

La **National Library**, in Kildare Street, era una volta la biblioteca della Royal Dublin Society (RDS), un'istituzione dedicata alla promozione del progresso nelle scienze, nell'agricoltura e nelle arti. Insieme al **National Museum**, che si trova di fronte, al di là del prato di **Leinster House**, era stata concepita per fornire ai dublinesi un centro culturale. L'edificio della biblioteca fu progettato da Sir Thomas Deane nel 1890. Qui sono riuniti migliaia di libri, riviste, quotidiani, carte geografiche e manoscritti concernenti l'Irlanda, compresi quelli raccolti dalla RDS. La biblioteca ha anche una notevole collezione di prime edizioni e conserva i manoscritti dei più importanti autori irlandesi, completi di revisioni, note a margine e scarabocchi. Lavorare nella **Sala di Lettura**, a forma circolare, è un vero piacere, come hanno scoperto molti dei migliori scrittori irlandesi moderni, fra i quali James Joyce.

Sopra, a sinistra: *la National Gallery of Ireland*. Sopra, a destra: *Mansion House del 1710. Le opere in ghisa di gusto vittoriano sono una chiara aggiunta alla costruzione originale. Sotto, a sinistra: Leinster House, sede del governo.*

La National Gallery

Il commediografo George Bernard Shaw (1856-1950) affermava che tutta la sua vita era stata influenzata dalla **National Gallery**: "perché ho passato molti giorni nella mia adolescenza a gironzolare lì dentro, e così ho imparato a dare importanza all'arte". Per gratitudine, egli lasciò in eredità alla galleria un terzo dei proventi dei suoi diritti d'autore, il che ebbe come risultato la possibilità di fare importanti acquisizioni. La galleria si compone di tre sezioni: l'ala Dargan ospita l'arte europea dal Rinascimento in avanti, con un Caravaggio di recente scoperta, alcuni pregevoli Rembrandt, Tiziano e Tintoretto; l'ala Moderna è dedicata all'arte europea del XX secolo, in particolare all'Impressionismo; le sale Milltown contengono arte irlandese, principalmente opere anglo-irlandesi dal Seicento in poi, con un'intera sala dedicata a Jack B. Yeats (1871-1957), fratello del poeta William Butler Yeats.

Mansion House

È dal 1715 la residenza del sindaco di Dublino. Sebbene l'esterno sia stato rimaneggiato con l'aggiunta di particolari vittoriani, l'edificio, risalente al 1710, è uno dei più antichi di questa zona. L'interno mostra ancora le origini del periodo Regina Anna.

Sopra: *musicisti di strada in Grafton Street, una delle più frequentate vie dello shopping a Dublino. A destra: un po' di relax dopo le compere, seduti ai tavolini di un famoso pub vittoriano.*

Leinster House

Sede del parlamento irlandese, o *Dáil Éireann*, **Leinster House** fu costruita per il conte di Kildare nel 1745, al tempo in cui le persone importanti vivevano sul lato settentrionale del Liffey. "Ovunque vada", si dice che abbia detto il conte, "gli altri mi seguono". E aveva ragione: i verdi campi che circondavano la sua magione furono rapidamente urbanizzati nella **Merrion Square**. Leinster House appartenne alla Royal Dublin Society dal 1814 al 1925, quando fu acquistata dal governo irlandese.

Grafton Street

La via dello shopping più alla moda di Dublino, brulica di gente in giro per acquisti, gioiellieri, musicisti di strada e fiorai. I molti pub vittoriani nelle vie laterali, come McDaids, offrono l'opportunità di sedersi e guardare i passanti.

St Stephen's Green

Fin quando il filantropo Sir Arthur Guinness, Lord Ardilaun non organizzò, nel 1880, lo spazio verde di St Stephen e lo donò alla cittadinanza, il parco era stato dato in affitto ai proprietari degli immobili attorno alla piazza. Le dimore sopravvisute allo sviluppo urbanistico degli anni '60, sono splendidi esempi della migliore architettura residenziale della Dublino georgiana. Sul lato sud, ai numeri 85-86, si trova la **Newman House**, magnificamente restituita al suo splendore settecentesco. L'edificio al numero 85, progettato nel 1738 da Richard Cassells, contiene decorazioni in gesso uniche, eseguite da famosi stuccatori italiani, i fratelli Francini. Nel XIX secolo Newman House divenne sede dell'University College Dublin (UCD), l'alternativa cattolica al Trinity College, dove tenne le sue lezioni il poeta inglese Gerard Manley Hopkins fino alla morte, avvenuta per febbre tifoidea nel 1889. Poco tempo dopo la morte di Hopkins si iscrisse alla scuola James Joyce, che immortalò quell'esperienza nel *Dedalus – Ritratto dell'artista da giovane*. Negli anni '60 l'arcivescovo cattolico di Dublino fece trasferire l'UCD nei sobborghi della città. Accanto al numero 85 c'è la **University Church**, il cui semplice esterno cela la fantasia bizantina dell'interno. Sul lato nord della piazza, i club esclusivamente maschili che conducono allo **Shelbourne Hotel** sono testimoni dei tempi in cui St Stephen's Green era un indirizzo esclusivo. Proprio come era nelle intenzioni di Lord Ardilaun, St Stephen's Green è diventato un parco dove i dublinesi amano prendere il sole, fare picnic o dar da mangiare a anatre e cigni. Il parco è fittamente punteggiato di chioschi per bande musicali, panchine, eleganti aiole, statue – Joyce è proprio di fronte alla sua vecchia scuola – e laghetti ornamentali. C'è anche un giardino per i ciechi, con piante profumate etichettate in braille.

In senso orario, dall'alto: gli abitanti di Dublino amano fare un picnic a St Stephen's Green; un busto di James Joyce posto di fronte alla sua vecchia scuola; sparse ovunque nel parco si trovano panchine e chioschi per la banda, fontane e aiuole; il Fusiliers Arch, una delle entrate al parco.

Merrion Square

Una delle piazze georgiane meglio conservate è **Merrion Square**, che fu costruita intorno al 1760 per Lord Fitzwilliam. Nell'insieme, le sue case possono apparire di aspetto uniforme, ma ognuna differisce dall'altra nei particolari: le porte e i pesanti battenti di bronzo, i delicati lucernari, i puliscipiedi e i balconi in ghisa. Molte di queste case hanno targhe che commemorano famosi inquilini: al **numero 1** trascorse l'infanzia Oscar Wilde, mentre l'uomo politico Daniel O'Connell che lottò per l'emancipazione dei cattolici, ottenendola nel 1829, visse al **numero 50**. Oggi, molte delle case sono trasformate in uffici, ma la piazza si anima nei fine settimana, quando i pittori dilettanti appendono i loro lavori sulle inferriate del parco.

Fitzwilliam Street

Fitzwilliam Street, che va da **Leeson Street** fino allo **Holles Street Hospital**, comprendendo **Fitzwilliam Place** e il lato orientale di **Merrion Square**, era una volta la più lunga via georgiana d'Europa. Negli anni '60, tuttavia, un gruppo di case fu abbattuto per far posto a un moderno complesso per uffici, che ora interrompe la prospettiva.

Sopra e al centro: elaborati portoni e dettagli delle case georgiane di Merrion Square. *Sotto, a destra:* Fitzwilliam Street, una volta la più lunga via georgiana d'Europa.

LA DUBLINO SUD-OCCIDENTALE

Il castello di Dublino

Il **castello di Dublino** è un po' una sorpresa: non sembra più un castello (dei tempi in cui era una struttura fortificata sopravvive solo la **Record Tower**, e anche i suoi merli sono un'aggiunta ottocentesca). È un miscuglio di stili architettonici, parte moderni e parte medievali, ma la maggior parte degli edifici che lo compongono risale all'elegante Dublino del XVIII secolo e sono raggruppati attorno allo **Upper** e al **Lower Yard** (cortile superiore e inferiore). Per oltre settecento anni non c'è stato in Irlanda un simbolo più grande del potere inglese de "Il castello", e praticamente ogni ribellione contro gli inglesi mirò a distruggerlo. Nessuna vi riuscì.

Costruito nel 1204 in posizione rialzata sulla sponda meridionale del Liffey, il castello era originariamente delimitato su tre lati dal fiume Poddle. Proprio al di sotto delle mura del castello, il Poddle si gettava in uno stagno, lo Stagno Nero, o "*Dubh Linn*", da cui la città prese il nome. Resti del forte vichingo, risalenti circa al IX secolo, rinvenuti durante gli scavi del 1990, indicano che il luogo ha sempre avuto un'importanza strategica e si pensa che qui sorgesse un precedente "*rath*" gaelico, un ridotto fortificato.

In origine una tozza torre era posta a guardia di ogni angolo delle mura di cinta attorno a un quadrilatero corrispondente grosso modo all'attuale Upper Yard, mentre la saracinesca era al centro del **North Gate**, l'entrata nord. Nel 1242 fu costruita una cappella, con vetrate a mosaico. Dove ora si trova la **St Patrick's Hall**, dal 1320 fu costruito e ricostruito uno spazioso salone. Il castello originale deve avere ispirato rispetto, non solo perché vi si decapitavano regolarmente i ribelli, le cui teste venivano poste quale ornamento sulle mura, ma anche perché aveva il rarissimo lusso di ricevere acqua in tubazioni.

Nei primissimi secoli del dominio britannico il castello fu un obbiettivo costante degli attacchi dei ribelli irlandesi durante le periodiche sollevazioni. Nel 1534 Silken Thomas, figlio del conte di Kildare, assediò il castello con cannoni. Disgraziatamente per lui, i governanti della città, al riparo di mura invalicabili, disponevano di ampie riserve di cibo e polvere da sparo. Silken Thomas non solo venne catturato, ma anche impiccato insieme a cinque dei suoi zii.

Nel 1684 i quartieri residenziali del castello vennero devastati da un incendio. Furono ricostruiti ponendo grande attenzione alle funzioni amministrative del castello: furono aggiunte nuove sale di ricevimento, furo-

Il castello di Dublino è un miscuglio di diversi periodi architettonici. Sopra: la Record Tower, risalente al 1207, con costruzioni settecentesche su un lato e la neogotica cappella di Francis Johnson sull'altro. Sotto: lo Upper Yard con la Bedford Tower che include l'antica torre ovest del corpo di guardia. Fu da qui che vennero rubati nel 1907 i gioielli della corona irlandese, mai ritrovati.

no inclusi degli uffici, e gli **Upper** e **Lower Yard** presero la loro forma attuale.

Ma il castello fungeva ancora da centro militare e prigione della città. Per tre anni, il quindicenne Hugh Roe O'Donnell fu tenuto in ostaggio nella **Record Tower** per garantirsi il buon comportamento del suo clan nell'Ulster: una comune pratica inglese. La vigilia di Natale del 1592 egli, con alcuni compagni, fuggì vestito di biancheria leggera e sandali. Era una notte gelida, con furiosi venti di bufera, e il loro cammino li portò al di là delle montagne del Wicklow, a Glenmalure. Hugh Roe sopravvisse per essere celebrato dai *filí*, i bardi irlandesi, ma i suoi compagni morirono assiderati.

La ricostruzione continuò per tutto il XVIII secolo, mentre il ruolo del castello cambiava. Come residenza del viceré, il rappresentante del potere britannico in Irlanda, divenne l'epicentro del bel mondo anglo-irlandese, ospitando balli e ricevimenti e accogliendo dignitari in visita. Buona parte delle opere fu eseguita da Sir William Robinson, che aveva progettato il Royal Hospital Kilmainham, mentre Sir Edward Lovett Pearce ridecorò la **St Patrick's Hall**. Gran parte dello **Upper Yard** e della **Castle Hall**, semplici ed eleganti nel loro stile georgiano in mattoni rossi, risale a quel periodo, e per tutto un secolo, dalla fine del Settecento in poi, aggiunte, ricostruzioni e migliorie si susseguirono senza sosta.

Nel 1798 gli Inglesi soffocarono un'altra ribellione. Fu un episodio particolarmente sanguinoso, con i cadaveri dei ribelli esposti come trofei all'esterno del castello. Uno dei corpi fu visto muoversi, e dopo essere stato rianimato, gli fu concessa la grazia, ma, come commentò un osservatore, il ribelle "non cambiò comunque i suoi principi".

Nel 1814 fu progettata da Francis Johnston, in stile Neogotico, la **Cappella Reale**, chiamata ora **Church of the Most Holy Trinity**, adiacente alla **Record Tower**. Al suo interno, tra elaborate volte a vela e stucchi opera di Michael Stapleton, si trovano gli stemmi araldici di tutti i viceré sin dal XII secolo. All'esterno, Edward Smyth, famoso per i suoi lavori alla Custom House e alle Four Courts, scolpì cento teste di pietra raffiguranti personaggi mitologici e storici. La cappella fu immediatamente proclamata "il più bell'esempio di architettura neogotica in Europa".

Nel corso dell'insurrezione del 1916 il castello fu nuovamente attaccato, ancora una volta senza successo. Fu finalmente passato allo stato irlandese nel 1922 e ospita adesso uffici governativi insieme ai manoscritti e ai tesori della **Chester Beatty Library and Gallery of Oriental Art** e, nella Record Tower, il **Garda Museum** (Museo della polizia). Il castello non ha tuttavia mutato una delle sue funzioni: è sempre usato per accogliere i dignitari in visita.

In alto: *l'interno della chiesa della Santissima Trinità con gli elaborati stucchi di Michael Stapleton. Sotto, a destra: i settecenteschi pannelli dipinti del soffitto della St Patrick's Hall; a sinistra: specchio decorato nella Galleria dei Dipinti.*

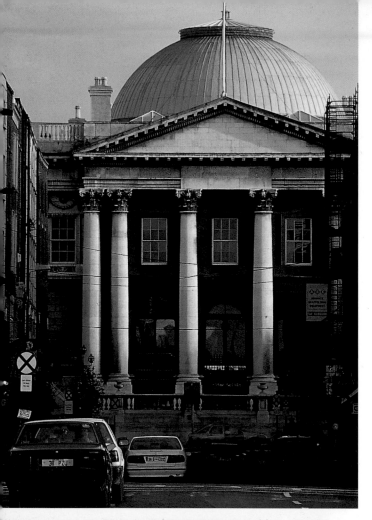

La City Hall

In posizione dominante su **Parliament Street** e sull'altra sponda del **Liffey** si trova la **City Hall,** una volta sede della Royal Exchange, la Borsa. Costruita nel 1769 dalla Corporazione dei Commercianti di Dublino, passò durante la rivolta del 1798 alle forze governative per essere usata come sede degli interrogatori e camera di tortura. Oggi ospita gli uffici del consiglio comunale di Dublino.

College Green e Dame Street

Dame Street va dal parco di **College Green**, appena fuori dai cancelli del **Trinity College**, alla **City Hall** e prosegue fino a **Lord Edward Street** e la **Christ Church Cathedral**. All'altezza della City Hall si passa dal luogo in cui, attraverso le mura, si entrava alla città medievale, il Dame Gate. Ai primi del Settecento Dame Street era la strada principale fuori dalle mura cittadine e collegava i centri vitali del potere, il **Dublin Castle**, che sorge dietro la City Hall, e la **House of Parliament**, ora sede centrale della Banca d'Irlanda, che si trova di fronte al **Trinity College**.
La strada presenta molti edifici costruiti nello stile noto come "georgiano dei banchieri", nonché la moderna sede della **Central Bank**.

Sopra: *la City Hall si affaccia su Parliament Street in direzione del fiume Liffey.* Sotto: *una veduta di Dame Street dal Trinity College.*

Christ Church Cathedral

Christ Church Cathedral sorge entro le primitive mura medievali della città. Fondata nel 1037 da Sitric Silkenbeard, re della Dublino vichinga, è la più vecchia cattedrale di Dublino. Convertito al cristianesimo, Sitric compì due pellegrinaggi a Roma e, come suo padre, morì monaco sull'isola di Iona, al largo delle coste scozzesi. La struttura innalzata da Silkenbeard era in legno, ma negli anni dal 1173 al 1240 gli Anglo-Normanni ricostruirono la chiesa in pietra. I settant'anni occorsi per questi lavori fanno sì che questo edificio contenga elementi architettonici di due periodi diversi: alcune parti, come la navata, furono costruite in Gotico, mentre altre, fra cui il **coro** e i **transetti**, furono costruite in stile Romanico. Una piccola **testa** oblunga sopra il portale romanico del **transetto meridionale** potrebbe raffigurare il re Enrico II o Dermot MacMurrough, il re di Leinster responsabile di aver invitato in Irlanda Strongbow, conte di Penbroke, e la sua armata di Anglo-Normanni, dando così inizio al lungo processo di colonizzazione.

Nel XIX secolo la cattedrale era ridotta quasi a un rudere. Nel 1871 il distillatore di whiskey Henry Roe ne finanziò il restauro integrale. La cosa ebbe esiti non del tutto felici: la maggior parte della costruzione originale andò perduta e il coro trecentesco fu demolito e rifatto in un stile simil-romanico.

A parte la **cripta** medievale, la più antica costruzione di Dublino, dove alcuni dei capitelli in pietra splendidamente scolpiti si sono conservati, i **transetti** e la parte settentrionale della **navata**, poco rimane della struttura del XIII secolo. La cripta è piena di macabre reliquie: nella **St Laud Chapel**, in uno scrigno metallico a forma di cuore, si trova il cuore di **San Lorenzo O'Toole**, arcivescovo di Dublino al tempo dell'invasione di Strongbow. Si pensa che anche lo stesso Strongbow sia sepolto qui, ma è probabile che la sua tomba sia stata distrutta dal crollo del tetto e rimpiazzata con l'effigie di un altro cavaliere. La leggenda vuole che la più piccola delle due effigi nella cripta contenga il corpo di suo figlio, che fu tagliato in due per codardia in battaglia, ma è più probabile che contenga gli intestini di Strongbow. I raccapriccianti resti mummificati di un gatto e di un topo, rimasti intrappolati dietro una canna d'organo, sono messi in mostra in una teca di vetro. Si crede che vi sia un'antica galleria che porta dalla cripta, passando sotto il Liffey, alle attuali Four Courts. Secondo la leggenda, un soldato che nel Medio Evo assisteva a un funerale solenne nella Christ Chur-

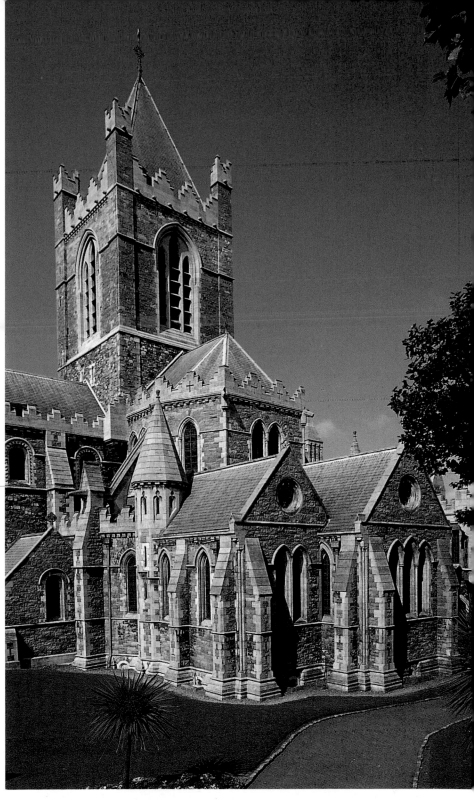

La Christ Church Cathedral, fondata dai Vichinghi nel 1037 e ricostruita dagli Anglo-Normanni.

Sopra, a sinistra: *il portale romanico della Christ Church Cathedral*; a destra: *l'interno della cattedrale, restaurato nel 1871.* Sotto: *la chiesa di St Audoen con la torre campanaria medievale.*

ch, preso dalla noia si addentrò nella galleria. Il sacrestano, ignaro, chiuse il soldato nella galleria e molti mesi dopo fu rinvenuto il suo corpo completamente rosicchiato, con la spada in mano. Attorno ad esso giacevano le carogne di oltre duecento ratti che il soldato aveva ucciso!

St Audoen Church

Costruita nel 1190 sui resti di un sito paleocristiano dedicato a San Colombano e dedicata al santo normanno Ouen di Rouen, **St Audoen**, in High Street, è la più antica chiesa parrocchiale medievale rimasta a Dublino. L'unica testimonianza delle sue origini paleocristiane è una lapide tombale all'interno del portico, nota come "**pietra della fortuna**", che si dice porti fortuna a chiunque la tocchi. Il **portone occidentale** è ancora quello della chiesa originale, mentre la **torre campanaria** contiene tre campane del 1423, ritenute le più antiche d'Irlanda. Queste campane venivano suonate durante le tempeste per ricordare ai dublinesi di pregare per chi si trovava in mare. Nel giardino è visibile una sezione restaurata delle antiche **mura cittadine**, con una gradinata che scende al **St Audoen Arch**, il solo ingresso alla città vecchia ancora in piedi.

Sopra: il parco e la cattedrale di St Patrick. Sotto: l'interno della cattedrale, completamente rimaneggiato nel 1864.

St Patrick's Cathedral

La seconda cattedrale protestante di Dublino sorge sul più antico sito cristiano di Dublino, che si ritiene abbia avuto qualche legame con il santo patrono d'Irlanda, San Patrizio. Ha avuto una storia sofferta non dissimile da quella della vicina Christ Church Cathedral: ricostruita in pietra nel 1190 in stile "antico inglese", nel corso dei secoli cadde anch'essa in rovina. È come l'altra fu completamente restaurata nel 1864 con i fondi elargiti da un altro commerciante di alcolici, Sir Benjamin Lee Guinness, la cui **statua** si trova a destra dell'entrata. A differenza della Christ Church, tuttavia, St Patrick's Cathedral sorse all'esterno delle mura medievali, nella zona nota come "**the Liberties**", ossia "i Privilegi", e divenne perciò la cattedrale del popolo piuttosto che il luogo dove venivano tenute cerimonie di stato.

Probabilmente la figura più nota associata a St Patrick's è Jonathan Swift, autore dei *Viaggi di Gulliver* e di molte altre storie satiriche e decano della cattedrale dal 1713 al 1745. Di enorme generosità, Swift dava in beneficenza ogni anno metà delle sue entrate, e alla sua morte furono così tanti i cittadini che pretesero una ciocca dei suoi capelli come ricordo che egli fu seppellito calvo. È sepolto nella cattedrale accanto alla sua amata Esther Johnson.

Brazen Head Pub

Fondato nel 1198, il **Brazen Head Pub** in **Lower Bridge Street** è il più vecchio pub di Dublino. Ha una storia di tutto rispetto: è stato anche il luogo dove solevano riunirsi i capi dell'insurrezione degli United Irishmen del 1798 per organizzare la loro azione. Oggi vi si tengono spettacoli di musica tradizionale.

Temple Bar

Le strette strade acciottolate di Temple Bar sono talmente ricche di fascino che è duro credere che fino a poco tempo fa la zona correva il rischio di essere demolita. Una volta piena di atelier di artisti squattrinati, negozi di abiti di seconda mano, laboratori di tipografi e pub di quart'ordine, Temple Bar è ora il vanto di Dublino, con costosi appartamenti, gallerie d'arte, ristoranti, locali notturni e il Clarence Hotel, in stile Art Déco, di proprietà degli U2, che lo frequentano abitualmente. Ma la cosa migliore sono i suoi pub. Il pub è il cuore della vita sociale irlandese e i migliori si conquistano una clientela fedele proprio per la loro fama nel servire una "buona pinta", un'arte vera e propria dalla quale si giudica un barman esperto: ci vuole tempo e pazienza, e alla fine il risultato deve avere un gusto morbido come il velluto.

Sopra: *il Brazen Head, il più antico pub di Dublino. In estate il suo cortile è affollato di gente del posto e turisti, mentre all'interno* (sotto) *si esibiscono ogni sera gruppi di musicisti tradizionali.*

Sopra: le prove di una serata animata, fusti di birra vuoti all'esterno dell'Oliver St John Gogarty Pub in Temple Bar. Al centro: graffiti che hanno per tema il bere. Sotto: l'esterno e l'interno di un elegante pub vittoriano di Fleet Street, in Temple Bar.

La fabbrica di birra Guinness

Gli emigranti sospirano pensandoci, canzoni ne celebrano le virtù, è consigliata alle madri durante l'allattamento. La Guinness è la bevanda nazionale dell'Irlanda e la fabbrica di birra impiantata nel 1759 da Arthur Guinness (*in basso a destra*) riempie ogni giorno oltre sei milioni di bicchieri. I Guinness, una famiglia di filantropi, hanno restaurato la **cattedrale di St Patrick**, donato alla cittadinanza lo spazio verde di **St Stephen's Green**, risanato quartieri fatiscenti rimpiazzandoli con i palazzi della **Fondazione Iveagh**, piscine e ostelli in Patrick Street.

Una visita al luogo natale della Guinness è una delle punte di diamante di ogni tour a Dublino. Nell'inconfondibile Guinness Storehouse, concepita come un grande boccale, un'elettrizzante esposizione permette di togliersi ogni curiosità riguardo a questa celebre birra. E poi è possibile riposarsi gustando una buona pinta al Gravity Bar, al settimo piano, da dove si gode un'incredibile vista a 360° su Dublino.

Royal Hospital Kilmainham

Oggi **Irish Museum of Modern Art**, il **Royal Hospital Kilmainham** fu costruito nel 1680 come alloggio per i vecchi soldati e tale rimase fino al 1922. Ispirato a *Les Invalides* di Parigi, fu progettato dall'Ispettore Generale Sir William Robinson sotto la direzione del viceré, Duca di Ormond. L'aspetto è semplice e sobrio: un edificio con colonne con una guglia su un lato costruito attorno a una corte centrale. Gli interni del **salone** e della **cappella** sono di rara bellezza: il soffitto della cappella è decorato con motivi floreali e frutti in rilievo. Il salone ospita ora concerti di musica classica, mentre il resto del museo accoglie, con frequente rotazione, collezioni di arte moderna irlandese ed europea.

Kilmainham Gaol

Costruita nel 1788 per rinchiudere i capi ribelli della fallita rivolta del 1798, questa sinistra prigione ebbe come reclusi anche i capi dell'insurrezione del 1916. Dopo alcuni giorni gli Inglesi decisero di metterne a morte quindici. Uno di loro, James Connolly, era ferito in maniera talmente grave che dovette essere legato a una sedia per essere condotto davanti al plotone di esecuzione. Fu una delle mosse peggio calcolate che gli Inglesi abbiano mai fatto in Irlanda e trasformò l'insurrezione da un disastro in un gesto romantico che rinforzò la causa nazionalista.

Marsh's Library

La prima biblioteca pubblica d'Irlanda fu progettata nel 1701 da Sir William Robinson per accogliere la biblioteca dell'arcivescovo Narcissus Marsh. Di fatto immutata da allora, la biblioteca è divisa in cabine di lettura da divisori di gusto gotico con lo stemma dell'arcivescovo. I lettori erano spesso tenuti sottochiave nelle cabine per salvaguardare i manoscritti di maggior valore. Nella biblioteca sono ancora conservati oltre venticinquemila volumi databili dal XVI secolo in poi.

Sopra: *l'ex ospedale di Kilmainham, oggi un museo d'arte moderna*. Al centro: *la Kilmainham Gaol, il carcere dove venivano imprigionati i patrioti*. Sotto: *la Marsh's Library, del 1701*.

A NORD DEL LIFFEY

Il Liffey

È a causa del fiume Liffey e dei suoi molti affluenti che Dublino ha più di un nome. In irlandese è *Baile Átha Cliath*, ossia "Città del guado di graticci" – il guado risale a prima del tempo dei Vichinghi ed è una specie di strada rialzata che attraversa il fiume, che a quei tempi era largo e basso –; c'è poi il nome inglese della città, *Dubh Linn*, vale a dire "Stagno Nero", nome dovuto alle acque impaludate del fiume Poddle alla confluenza con il Liffey nei pressi del Castello di Dublino. A complicare ulteriormente le cose, anche il tratto del Liffey che attraversa Dublino ha un suo nome, *Ruirthech* o "Fiume Turbolento". Quanto fosse turbolento lo si può giudicare da un'annotazione negli antichi annali che riporta che nell'anno 770 un'intera armata dell'Ulster annegò mentre tentava di guadarlo.

Oggi il Liffey ha un comportamento migliore e, costretto entro i lungofiume, sfocia placidamente in mare a Ringsend, dividendo Dublino in due precise metà, il lato sud, con le sue vie di eleganti boutique, costosi ristoranti, pub e locali notturni, e il lato nord, dove gli splendidi edifici pubblici di George Gandon sono circondati da cadenti piazze georgiane.

O'Connell Bridge

Progettato da James Gandon nel 1790 per collegare il lato sud di Dublino con quello settentrionale, il ponte è grosso modo tanto largo quanto lungo e prosegue verso nord nella **O'Connell Street**, l'arteria principale di Dublino.

General Post Office

Il **General Post Office**, o GPO, è l'edificio più significativo in O'Connell Street, non tanto per la sua architettura quanto per il suo posto nella storia dell'Irlanda. Il Lunedì di Pasqua del 1916, un piccolo gruppo di insorti stabilì qui il proprio quartier generale, e il loro capo, il poeta Pádraig Pearse rimase all'esterno a leggere ai passanti la Proclamazione della Repubblica d'Irlanda. Seguì una settimana di cannoneggiamento delle truppe britanniche, che sventrò il GPO e buona parte della **Lower O'Connell Street**. I rivoltosi ripiegarono su **Moore Street**, e poco dopo si arresero. Fu una sconfitta militare disastrosa. Ma da quel momento l'Indipendenza irlandese fu solo questione di tempo. O'Connell Street ebbe ancora danni durante la Guerra Civile del 1922, e del GPO rimase solo la facciata. Oggi, magnificamente restaurato e operativo come ufficio postale, per commemorare l'Insurrezione del 1916, ospita una statua rappresentante "*La Caduta di Cúchulainn*", il mitico eroe dell'Ulster.

Pagina accanto, sopra: *O'Connell Bridge con la cupola della famosa Custom House di Gandon che si staglia contro il Financial Centre.* Sotto: a sinistra, *scorcio dal lato sud di O'Connell Bridge,* e a destra, *lo Spire, in O'Connell Street.*

In questa pagina, sopra: *l'orologio Lir, molto popolare tra gli abitanti di Dublino.* Sotto: *il General Post Office.*

Custom House

Nel 1779 l'architetto James Gandon declinò un'offerta di lavoro a San Pietroburgo e venne invece a Dublino per lavorare a ciò che sarebbe divenuto uno degli esempi più belli di costruzioni georgiane in Irlanda. Gandon rimase in questo paese per il resto della vita, arricchendo l'architettura di Dublino di altri due splendidi edifici pubblici, le **Four Courts** e i **King's Inns**.

Iniziata nel 1781 e costata in dieci anni di lavori 400.000 sterline, la Custom House non fu semplice da erigere: il terreno era saturo d'acqua di mare e richiedeva un costante drenaggio e complesse fondamenta per evitare movimenti di subsidenza, gli operai pretendevano continui aumenti di salario, gli avversari del progetto ingaggiavano delle bande per compiere atti vandalici sulla costruzione, e Gandon trovava saggio cingere la spada ogni volta che si recava sul cantiere. Ma nessuno di questi ostacoli, né un incendio, né la morte della moglie, scoraggiarono Gandon e nel 1791 la Custom House, costruita di splendente pietra di Portland, era terminata.

La **facciata sud**, con il suo elegante pronao dorico, si affaccia sul fiume, mentre la **facciata nord** si affaccia su quanto rimane della georgiana Gardiner Street. Le quattordici **teste di divinità fluviali** al di sopra di porte e finestre, rappresentanti i maggiori fiumi dell'Irlanda, e l'allegoria del **Commercio** sulla cupola sono dello scultore Edward Smyth, una scoperta di Gandon che, secondo lui, valeva Michelangelo.

Nel 1921 la Custom House fu presa di mira dalle forze nazionaliste. Un incendio infuriò per giorni, provocando seri danni all'edificio. Quando nel 1926 fu restaurata, nel tamburo della cupola la bianca pietra di Portland venne sostituita da pietra di Ardbraccan, che si deteriorò in breve tempo. Nel 1970 si resero necessari più importanti lavori di rinnovamento e l'attuale Custom House fu inaugurata nel 1991.

Sopra: la facciata sud della Custom House costruita da James Gandon. Sotto: vista da tergo dell'International Financial Service Centre.

Sopra: *le Four Courts, il capolavoro della Dublino georgiana, di James Gandon.* Sotto: *la chiesa di St Michan, edificata dai Vichinghi nel 1096.*

Four Courts

Il secondo dei più importanti edifici georgiani di Gandon, le **Four Courts**, fu commissionato nel 1796 dal Duca di Rutland per rimpiazzare le corti prossime alla Christ Church, ormai in rovina. Contiene numerosi elementi caratteristici dello stile di Gandon: la facciata verso il fiume ha un portico centrale corinzio collegato alle due ali dell'edificio attraverso una serie di arcate ornate con sculture di Edward Smyth.

St Michan's Church

Della chiesa eretta dai Vichinghi nel 1096, per secoli la sola chiesa parrocchiale sulla sponda settentrionale del Liffey, oggi rimane solo il campanile. L'interno è semplice, ma contiene un organo sul quale si dice che Händel abbia suonato mentre stava componendo il suo *Messia*. Ma St Michan è più nota per i corpi mummificati conservati nella cripta seicentesca. All'esterno, nel cimitero, forse attratto dalle macabre salme nella cripta, usava passeggiare Bram Stoker, l'autore di *Dracula*.

La zona di O'Connell Street

È a Henry Moore, Conte di Drogheda, che si deve il progetto originario della zona attorno a O'Connell Street. Il suo desiderio di gloria imperitura lo condusse a commemorare nei nomi delle strade il suo intero titolo: **Henry Street**, **Moore Street**, **Earl Street**, **Of Lane** e **Drogheda Street** (ora nella prima parte di O'Connell Street). Henry Street e Moore Street sono animate zone piene di negozi, con grandi magazzini e botteghe che offrono le migliori occasioni della città. Moore Street è famosa per le frotte di venditori ambulanti che decantano le loro merci nel cantilenante accento di Dublino.

Pagina accanto, sopra: la Hugh Lane Municipal Gallery of Modern Art in Parnell Square. Sotto: l'elegante Galleria degli Scrittori, decorata con elaborati stucchi, nel Museo degli scrittori di Dublino, costruito ai bei tempi della Dublino georgiana.

In questa pagina: James Joyce, che passò la maggior parte della sua vita all'estero, ambientò tutte le sue opere in una Dublino minuziosamente descritta. Egli affermava infatti che se Dublino fosse stata per caso distrutta, lui sarebbe stato in grado di ricostruirla mattone per mattone basandosi sulle descrizioni nei suoi scritti. Sopra: la sua statua si trova in North Earl Street. Sotto, a sinistra, Henry Street gremita di persone a caccia di buoni affari, al centro e a destra, venditori in Moore Street.

Hugh Lane
Municipal Gallery of Modern Art

Quello che oggi è un museo d'arte era una volta la residenza di città del Conte di Charlemont, abbastanza
appropriatamente definito un patrono delle arti. Fu progettato da Sir William Chambers nel 1762, ai tempi in
cui le classi agiate e potenti vivevano a nord del Liffey
ed è, a causa delle sue dimensioni compatte, una delle
gallerie di Dublino più piacevoli da visitare. La sua
collezione di arte europea dell'Otto e Novecento comprende opere degli Impressionisti raccolte da Sir Hugh
Lane, un mercante d'arte che donò la sua collezione
alla municipalità di Dublino nel 1908. Dopo la sua
morte, avvenuta nel siluramento del *Lusitania* nel 1915,
infuriò una battaglia legale tra Londra e Dublino su a
chi competesse la collezione, disputa finalmente risolta
ripartendo la collezione tra la Tate Gallery di Londra e
la Hugh Lane.

Il Museo degli scrittori di Dublino

Due porte più in là della Galleria Municipale, ai **numeri
18** e **19** di **Parnell Square**, si trovano rispettivamente il
Museo degli scrittori di Dublino e il **Centro degli scrittori irlandesi**. L'Irlanda è famosa per i suoi scrittori,
quattro dei quali, William Butler Yeats, George Bernard
Shaw, Samuel Beckett e Seamus Heaney, hanno ricevu-
to il Premio Nobel per la letteratura, e qui sono documentate le loro opere, insieme a quelle di molti altri famosi scrittori.

Parnell Square

Le costruzioni in **Parnell Square** iniziarono a sorgere alla
metà del Settecento e già nell'ultimo ventennio del secolo la piazza vantava tra i suoi residenti più nobili, politici
e vescovi di qualunque altra via della città. Chiamata in
origine Rutland Square in onore del viceré dell'epoca, fu
poi ribattezzata per celebrare la memoria del leader nazionalista Charles Stewart Parnell, la cui statua si trova
all'inizio di O'Connell Street. Il centro della piazza ospitava una volta un parco dei divertimenti, chiamato Plea-
sure Gardens, un'iniziativa commerciale destinata alla
raccolta di fondi del Dottor Bartholomew Mosse, il bar-
biere chirurgo, aperta negli anni quaranta del Settecento
per finanziare, con il biglietto d'ingresso, la costruzione
del Lying-in (Rotunda) Hospital sul lato sud di Parnell
Square. Questa è stata la prima maternità in Europa, ed è
ancora in uso. Del parco rimane oggi solo un fazzoletto
di verde sul lato nord della piazza chiamato **Parco della
Rimembranza** in ricordo dell'Insurrezione del 1916.

King's Inns

Il **King's Inns** fu l'ultimo dei grandi edifici pubblici di James Gandon ed assolve ancora oggi la sua originaria
funzione di residenza e studio per gli avvocati. Anche se
la posa della prima pietra risale al 1795, i lavori non furono avviati fino al 1802. Gandon aveva lasciato l'Irlanda nel 1797 e non vi aveva fatto ritorno che dopo la ribellione del 1798. A quel tempo aveva quasi sessant'anni e soffriva di un'acuta forma di gotta, passò perciò il
grosso del lavoro per il King's Inns al suo protetto Henry
Aaron Baker. L'edificio fu alla fine completato nel 1817.
Allo stesso modo delle Four Courts e della Custom House, il King's Inns è stato progettato per affacciarsi sull'acqua: un ramo del Royal Canal una volta giungeva sin
qui. Sopra l'arcata centrale si innalza un'elegante **cupola**. Sulla sinistra un portale conduce nella sala da pranzo
ed è affiancato da due **cariatidi** di Edward Smyth: Cere-
re, la dea della nutrizione, e una Baccante che sorregge
un calice di vino. Il portale sulla destra dell'arcata centrale, da cui si accede all'Ufficio del Registro, è fianeheg-
giato da figure maschili che rappresentano la Legge e la
Sicurezza.

Il Glasnevin Cemetery e il suo museo

Il **Glasnevin Cemetery**, necropoli irlandese adiacente
ai National Botanical Gardens di Glasnevin, sobbor-
go settentrionale di Dublino, ha iniziato ad accogliere
inumazioni di defunti nel 1832 e oggi offre un luogo
di riposo eterno a più di un milione di abitanti della

città e del Paese. Fondato dal Grande "Liberatore" Daniel O'Connell che volle così garantire un servizio funebre a tutti, credenti di qualunque fede e non, le sue lapidi fanno visivamente da sfondo alla storia di molti protagonisti della politica, della letteratura e della vita artistica dell'Irlanda nell'ultimo secolo e mezzo. Esso appartiene ed è gestito dal Glasnevin Trust.

I visitatori oggi possono esplorare il cimitero da soli, ma sarebbe consigliabile affidarsi ad una delle frequenti visite guidate, che, oltre a segnalare le tombe più importanti e a farvi conoscere le storie che si celano dietro molte delle lapidi, possono offrirvi anche un'interessante panoramica sulle precauzioni che si usava prendere per difendere le sepolture più recenti dagli assalti dei "Resurrezionisti", ladri di tombe che si guadagnavano da vivere fornendo cadaveri alle scuole di anatomia cittadine! Tra le tombe più visitate, quella di Daniel O'Connell, in una torre rotonda che domina il cimitero, e quella di Michael Collins.

Una recente aggiunta è rappresentata dall'edificio dell'annesso museo, la cui innovativa struttura ha ottenuto riconoscimenti nazionali e internazionali in campo architettonico. Oltre a conservare copie dei documenti sepolcrali del cimitero di inestimabile valore storico, esso ospita esposizioni a tema e una presentazione video che offre una panoramica della storia e delle attrazioni del cimitero. Fra queste ultime, una delle più suggestive è la "Time-Line", un gigantesco *touch screen*, uno schermo multimediale interattivo di 10 m di lunghezza capace di offrire dettagli delle vite e delle relazioni storiche di quasi 200 dei personaggi più degni di ricordo sepolti nel cimitero. I visitatori possono anche ottenere (a pagamento) informazioni di carattere genealogico sui congiunti che riposano qui.

La zona riservata all'accoglienza dei visitatori ospita un negozio di libri e souvenir oltre a servizi di ristorazione.

Pagina accanto, *la facciata del King's Inns.*

Sotto, *il Glasnevin Cemetery, con a sinistra il museo e sulla destra la torre rotonda che sorge sulla tomba di Daniel O'Connell.*

Phoenix Park

Il **Phoenix Park**, il cui nome non deriva da Fenice, il mitico uccello, ma da una corruzione dell'irlandese *fionn uisce*, ossia "acqua chiara", fu creato nel 1662, quando ottocento ettari dei terreni che circondavano la residenza del vicerè, detta Phoenix Manor, furono trasformati in reale riserva di cervi. Nel 1747, quando la disposizione della vegetazione e dei sentieri era pressappoco quella attuale, Lord Chesterfield aprì il parco al pubblico. Il parco contiene molti monumenti e anche lo **zoo di Dublino**, famoso per i suoi riusciti tentativi di allevare leoni in cattività, il più famoso dei quali è il leone ruggente che apre i film della MGM.

Giardini del Monumento ai Caduti, Islandbridge

Dei circa 150.000 Irlandesi che combatterono nella Prima Guerra Mondiale ne morirono 50.000, commemorati nei **War Memorial Gardens a Islandbridge**. Il sito commemorativo dei caduti fu progettato da Sir Edward Lutyens, e si stende su ottanta ettari di terreno sovrastati da una collina, **Magazine Hill**, nel Phoenix Park. Per utilizzare il massimo numero di manodopera possibile, costituita da reduci, il lavoro fu interamente eseguito a mano.

Sopra, al centro e sotto, a sinistra, *tranquille scene colte nel Phoenix Park;* sotto, a destra, *i Giardini del Monumento ai Caduti a Islandbridge.*

Sopra: *un tranquillo tratto del Grand Canal.* Sotto: *Portobello House, costruita nel 1807 dalla Grand Canal Company per essere uno dei cinque alberghi sulla rotta tra Dublino e il fiume Shannon, ha avuto una vita piuttosto variegata. Quando sul canale cessò il servizio dei battelli passeggeri, diventò un ostello per donne cieche, poi una casa di riposo (l'artista Jack B. Yeats vi passò i suoi ultimi anni), finché non divenne alla fine il Portobello College.*

Il Grand Canal

Nel 1715 un atto del parlamento propose di collegare con canali Dublino e i fiumi Shannon a ovest e Barrow a sud. Ne risultò la costruzione di due canali: il **Royal Canal**, nella zona nord di Dublino, e il **Grand Canal**, che si gettava nel Liffey a Ringsend, tagliava a sud la città, oltre **Portobello** e **Dolphin's Barn**, dove si trovava un approdo, per giungere poi fino allo Shannon. Tuttavia, una volta costruita la ferrovia, questi collegamenti fluviali non furono più competitivi, e negli anni '60 il traffico commerciale si arrestò del tutto. Da allora i canali sono stati lasciati a quanti amano passeggiare lungo le alzaie erbose.

I DINTORNI DI DUBLINO

Dublino sorge in una magnifica baia che si stende a sud fino a Killiney e a nord al piccolo porto di pescatori di Howth. Siti archeologici risalenti all'Età del Bronzo, castelli d'importanza storica, abbazie e panorami incomparabili, uniti alla fama di tanti scrittori, poeti e pittori rendono la costa intorno a Dublino ben meritevole di essere esplorata.

A sud di Dublino si trova la vittoriana cittadina costiera di **Dun Laoghaire**, il cuore della navigazione da diporto sulla costa orientale. Ha quattro yachting club e un ottimo porto protetto da due moli in pietra lunghi tre chilometri che sporgono entro la Baia di Dublino. Nelle lunghe serate estive i moli sono affollati di dublinesi che osservano le barche a vela in regata lottare serratamente per virare per prime attorno alle boe.

Pressappoco a due chilometri a sud di **Dun Laoghaire**, a **Sandycove**, sul bordo della spiaggia, sorge una **torre di guardia** che fa parte di una fila di venticinque strutture di difesa costiera costruite in previsione di un'invasione di Napoleone. Nessuna di esse ebbe mai il battesimo del fuoco e sono state convertite in negozi, case, musei, o lasciate andare in rovina. La torre di Sandycove ospita ora ricordi del più famoso "esiliato" irlandese, James Joyce, che una volta vi trascorse alcuni giorni. Un suo amico, il chirurgo, scrittore e bello spirito di Dublino Oliver St John Gogarty, risiedeva a volte nella torre per scrivere le sue poesie. Nel 1904 Joyce lo raggiunse. Pochi giorni dopo, tuttavia, ebbero una lite e Joyce se ne andò. Gogarty disse che lo avrebbe buttato fuori anche prima, ma che ebbe paura che, se Joyce "fosse un giorno diventato qualcuno", non avrebbe dimenticato quell'episodio. I suoi timori si avverarono. Quando Joyce si trovò a scrivere l'*Ulisse*, ambientò le scene iniziali nella torre, con il "solenne e paffuto" Buck Mulligan intento alle sue abluzioni quotidiane. Il modello per Buck Mulligan era Gogarty, il quale non gradì l'onore che Joyce gli aveva fatto.

Su un lato della torre c'è un tratto di scogliera dove la gente va a fare il bagno, conosciuto come il **Forty Foot** (Quaranta Piedi), il cui nome non è dovuto alla profondità del mare in quel punto, ma al fatto che qui era di stanza il 40° Reggimento di fanteria inglese (40th Regiment of Foot). Una volta era riserva degli uomini che amavano fare il bagno nudi, ma la liberazione femminile è arrivata anche al Forty Foot, e adesso i bagnanti, maschi e femmine, sono più pudicamente abbigliati. Questi nuotatori incalliti sfidano le gelide acque del Mare d'Irlanda in ogni stagione dell'anno.

Proseguendo a sud lungo la costa si incontra **Dalkey**, una volta città medievale circondata da mura e importante centro di commerci. La città ha catturato l'immaginazione di numerosi scrittori: Flann O'Brien (Brian Nolan), il brillante scrittore satirico, la usò in *The Dalkey Archives*, mentre il commediografo Hugh Leonard ambientò qui la sua commedia *Da*. Negli ultimi anni,

Sopra: *Sandycove con la torre di guardia che ospita il James Joyce Museum. Sulla destra si nota il blocco bianco della casa dell'architetto Michael Scott, costruita negli anni '30.* Al centro e sotto: *vedute della costa di Sandycove e della baia di Killiney.*

Dalkey è divenuta la Beverly Hills dell'Irlanda, con splendide case celate da alti muri di cinta o appartate sulle colline di Dalkey, di proprietà di musicisti quali Bono degli U2 e Chris de Burgh, scrittori come Maeve Binchy o registi come Neil Jordan. Ma tutto ciò non ha cambiato l'atmosfera di Dalkey. È ancora un posto incantevole per andare a zonzo o sedersi a guardare le stelle. Dietro il paese c'è Dalkey Hill, una collina deturpata dal taglio di una cava abbandonata. Seguendo il crinale si passa, godendo di incomparabili vedute della Baia di Dublino e dei monti del Wicklow, dalla cava al parco pubblico sulla **Killiney Hill**.

A poca distanza dal paese di Dalkey, sul mare, c'è il porticciolo di **Coliemore Harbour**, affollato di pescherecci, reti e paranchi. Qui vi sono barche che si recano a **Dalkey Island**, un'isola battuta dal vento al largo di **Sorrento Point**. Appollaiata su una delle estremità di quest'isola si trova un'altra **torre di guardia**, e una chiesa paleocristiana in rovina dedicata a **St Begnet**.

Sull'estremo lembo settentrionale della Baia di Dublino si trova **Capo Howth**, che termina in una punta al faro di Baily e che, insieme a **Dalkey Island** all'estremità meridionale, forma una curva a creare la riparata Baia di Dublino. La sua altezza e la posizione di dominio da cui si vede tutta la baia e, nelle giornate chiare, al di là del Mare d'Irlanda fino al Galles, ha dato al capo, sin dai tempi più remoti, un'importanza militare, e ogni successiva ondata di invasori ha lasciato qui la sua impronta. Secondo la leggenda, un tumulo di pietre sulla vetta di Capo Howth segna il luogo di sepoltura di un antico capotribù celtico. Secoli dopo, i corsari vichinghi devono essersi accorti, mentre perlustravano la costa in cerca di un sito per una stazione di scambi, di quanto il luogo fosse perfetto. Tracce della loro epoca sono visibili nella **Abbazia di Howth**, ora in rovina, che il re scandinavo di Dublino, Sigtrygg, fondò nel 1042. All'interno si trova la tomba di Christian St Lawrence e di sua moglie, antenati dei Normanni, la successiva ondata di conquistatori dell'Irlanda. Dopo centinaia di anni, la famiglia St Lawrence abita ancora nel **Castello di Howth**.

Sul lato nord del capo si trova **Howth Harbour**, una volta porto importante, ma ora eclissato dal porto turistico e dallo yachting club sorti accanto. Dal porto escono ancora i pescherecci, che fanno il periplo di **Ireland's Eye**, un isolotto quasi all'imboccatura della baia, per raggiungere il mare aperto. Sull'isola c'è un'altra **torre di guardia** e i resti di un insediamento monastico del VI secolo, **St Nessan**. Ma oggi, a parte i molti uccelli che l'hanno eletta a loro rifugio, nessuno vive più sull'isola.

Da Howth, guardando in direzione di Dublino, saltano all'occhio lunghe distese sabbiose. Sono le aree protette di **Dollymouth Strand**, nelle calde giornate estive affollate di dublinesi, e **Bull Island**, una lingua di terra sabbiosa sormontata da dune erbose e unita alla riva da un ponte di legno. I soli visitatori invernali sono invece le migliaia di uccelli che la usano come punto di sosta.

Sopra e al centro: un sentiero si snoda intorno a Capo Howth, da cui nelle giornate chiare lo sguardo giunge fino al Galles. Sotto: l'abbazia di Howth, fondata nel 1042 dagli Scandinavi, con in lontananza il porto e l'Ireland's Eye, un santuario per gli uccelli.

*L*einster è una delle quattro antiche province dell'Irlanda e comprende le pittoresche montagne del **Wicklow**, gli acquitrini e le spiagge sabbiose della contea di **Wexford**, **Kilkenny**, residenza di campagna dei nobili Butler, le rigogliose praterie di **Kildare** e **Meath**, le piane di **Louth**, **Offaly**, **Laois** e **Carlow**, e le zone acquitrinose di **Westmeath** e **Longford**.

WICKLOW

La contea di **Wicklow** è famosa per il suo magnifico paesaggio, costituito sia da coltivazioni che da una natura incontaminata. Copre parte dell'area nota una volta come "the Pale", "il Recinto", una piccola regione dai confini indefiniti che, dal XVI secolo in poi, fu considerata civilizzata e leale agli inglesi. L'impronta della dominazione britannica è ancora visibile nelle belle residenze di campagna e nei giardini all'italiana di **Russborough** e **Powerscourt**. Ma queste eleganti magioni sono circondate da una Wicklow più selvaggia, fatta di colline ondulate, acquitrini d'alta quota e profonde valli glaciali che raccolgono laghi dalle acque oscure e spettacolari cascate. In queste remote valli, come **Glenmalure** e **Glen of Imaal**, trovavano una volta rifugio i ribelli irlandesi, ben sapendo che le montagne del Wicklow avrebbero steso un velo sulla loro presenza. E lungo di esse, nell'importante insediamento monastico di **Glendalough** si trovano tracce di una causa cui gli Irlandesi sono da molto più tempo devoti.

Pagina accanto: *l'impeto della cascata di Powerscourt è tonificante. Quando il re Giorgio IV visitò nel 1821 Powerscourt House, la cascata fu sbarrata per ottenere una scena ancor più spettacolare e fu costruito un ponte belvedere.*
Il re tuttavia si trattenne a tavola troppo a lungo, e non andò mai alla cascata. Fortunatamente per lui: quando fu aperta la chiusa che imbrigliava il fiume, la forza dell'acqua spazzò via il ponte. Powerscourt House fu sventrata da un incendio nel 1974 e contiene oggi un ristorante e alcuni negozi. Ma il suo giardino all'italiana vale la visita.

In questa pagina, sopra: *il monte Grande Pandizucchero, nella contea di Wicklow, solleva la sua testa di granito sopra la campagna circostante. Sotto: i monti del Wicklow comprendono altipiani coperti di erica e ginestra spinosa alti più di 600 m.*

Glendalough

A **Glendalough**, ossia la "valle dei due laghi", sorge un monastero fondato da St Kevin nel corso del VI secolo. Fu un importante centro di studi, e come altri monasteri di questo tipo deve essere stato ricco di tesori, calici in oro, tabernacoli finemente lavorati e manoscritti miniati. Che Glendalough fosse un luogo ricco risulta proprio chiaro dal numero di incursioni fatte dai Vichinghi nel IX e X secolo e dagli Inglesi nel Trecento. Malgrado ciò, il monastero rimase in attività fino al Cinquecento.

La maggior parte delle costruzioni cristiane originali sono raggruppate attorno al più basso dei due laghi e comprendono una **cattedrale** del X secolo, una **croce celtica** dell'VIII, e la **chiesa di St Kevin**, una minuscola costru-

Sopra: *veduta aerea del complesso monastico di Glendalough, del VI secolo, con la torre circolare alta 30 m, inquadrata* (sotto) *anche più in dettaglio.*

zione in pietra con successive aggiunte, come la torre campanaria. La **torre a pianta circolare**, alta trenta metri, è caratteristica di questi insediamenti. La porta era probabilmente posta in alto, in modo che i monaci potessero ritirarsi con i loro tesori in caso di attacco.

Il monastero si trova allo sbocco di una valle glaciale dai fianchi ripidi contenente due laghi, in uno scenario di incomparabile bellezza. Alcuni sentieri conducono, attraverso fitte foreste, attorno al **Lago Superiore**, fino alle ruggenti cascate. Ovunque, nei boschi e sulle balze, ci sono tabernacoli per i pellegrini e si incontrano anche le rovine della prima chiesa di St Kevin, **Teampall na Skellig**. Ma è l'atmosfera di pace di Glendalough, anche nel cuore dell'estate, che maggiormente impressiona il visitatore.

Sopra: alcuni sentieri conducono attorno al Lago Superiore attraverso fitte foreste, ripidi pendii e cascate. Sotto: le rovine della prima chiesa di St Kevin, Teampall na Skellig.

Sopra: *l'abbazia di Selskar, distrutta da Oliver Cromwell.*
Al centro e sotto: si dice che Wexford abbia novantatré pub,
alcuni dei quali, come il Macken's, fungono anche da agenzia
di pompe funebri.

WEXFORD

Il porto di **Wexford** fu fondato dai Vichinghi a sud
dell'estuario del fiume Slaney molti secoli fa. E da come la cittadina si affaccia sul mare, dalle sue ampie
banchine risulta chiara l'importanza rivestita dal mare,
per il commercio e per la pesca. A ricordo della città
medievale rimangono strette vie tortuose e vicoli
dall'aspetto insolito. Presa dai Normanni nel 1169, fu
per un periodo sede di una guarnigione inglese, ma la
tragedia che ha segnato la sua storia fu il massacro di
1.500 cittadini perpetrato da Oliver Cromwell in un
punto chiamato **Bull Ring**, il Recinto dei Tori.
Il risultato di una simile storia travagliata è che Wexford
e il contado circostante sono costellati di case a torre,
castelli e abbazie in rovina. Il **forte di Duncannon** fu
costruito in previsione di un attacco dell'Armada spagnola, il cinquecentesco **castello di Ballyhack** sta a
guardia dell'estuario del Waterford, e vi sono due abbazie cistercensi del Settecento, **Dunbrody** e **Tintern**, che
furono fondate da un conte che aveva fatto naufragio,
in segno di gratitudine per essere stato trasportato dalle
onde sano e salvo a riva .
La contea di Wexford ha chilometri di spiagge sabbiose
a **Curracloe**, **Rosslare** e **Bannow**, mentre le piane acquitrinose a nord dell'estuario dello Slaney forniscono
in inverno rifugio a migliaia di comuni gabbiani e ster-

ne, ma anche alle oche colombaccio dal ventre chiaro, cigni urlatori e beccacce d'acqua dalla coda nera. Specie in via di estinzione quali il cigno di Bewick e le oche di Groenlandia dalla fronte bianca dipendono per la loro sopravvivenza dagli acquitrini di Wexford. I migliori punti per il *birdwatching* sono **Carnsore Point**, le **isole Saltee** oppure **Capo Hook**.

Kilmore Quay

Molti dei paesi più graziosi della contea di Wexford sono sparsi lungo la costa. **Kilmore Quay**, un pittoresco villaggio di pescatori, ha un porto attivo che è un vero groviglio di alberi e di reti. Fa parte dell'antica baronia di **Forth**, un ricordo della cultura normanna, dove fino all'inizio del XX secolo si parlava ancora un dialetto francese medievale detto "Yola".

Capo Hook

Il **promontorio di Capo Hook**, appena più a sud, protegge la foce del fiume Barrow e il paese di New Ross, che sorge sulle sue rive. Il **faro di Capo Hook**, il più vecchio faro d'Europa, guida i marinai attorno a questa sporgenza, che è tra l'altro un paradiso per i cacciatori di fossili.

Sopra: la Main Street di Wexford. Al centro: il porto di Kilmore Quay, un intrico di alberi di barche e reti da pesca. Sotto: il faro di Capo Hook, il più antico d'Europa.

COTTAGE CON I TETTI IN PAGLIA

Dal Seicento in poi i cottage con i tetti in paglia, con le loro fresche mura imbiancate a calce e le minuscole finestre, sono state uno spettacolo comune nell'Irlanda rurale. Oggi molti sono stati rimpiazzati da moderne casette con i tetti tegolati, ma alcuni cottage con i tetti in paglia si possono ancora trovare nella parte occidentale e sud-orientale del paese. Ogni zona ha il suo stile caratteristico: nel Donegal e sulla costa occidentale, dòve si abbattono gli impetuosi venti atlantici, le coperture in paglia sono assicurate con funi e pesi incrociati. Anche il materiale adoperato differisce in base a quanto è reperibile in loco: nell'ovest e al sud si può adoperare l'erica, mentre nelle zone costiere è più comune l'uso delle alte erbe che crescono sulle dune. Per quelli di Kilmore Quay si usa bella paglia dorata.

Lo stile dei cottage con i tetti di paglia varia da regione a regione. In questa pagina: quelli di Kilmore Quay, nella contea di Wexford usano paglia dorata.

IRLANDA SUD ORIENTALE

KILKENNY

I fertili terreni agricoli del **Kilkenny**, irrigati dai fiumi Barrow e Nore, già agli albori della storia dell'Irlanda indussero molte persone a stabilirvisi e si trovano ovunque i resti dei castelli e delle abbazie che costruirono. In tempi più recenti il paesaggio incontaminato ha attratto una nuova categoria di persone: artisti, artigiani e scrittori. A ogni curva della strada si incontrano graziosi paesini, come il medievale **Thomastown**, circondato da mura, e **Graiguemanagh** sul Barrow, dominato dall'**abbazia di Duiske**.

Il Castello

Il **castello di Kilkenny** sorge su una collina sovrastante il fiume Nore e l'antico borgo di Kilkenny. Qui, a testimoniare l'antica importanza della città, si trovano raggruppate quattro abbazie medievali e la **Cattedrale di St Canice**, che ancora conserva la torre originale del VI secolo.
Il conte normanno Strongbow, dopo aver conquistato la città nel 1169, lasciò un forte dove in seguito sorsero il castello e la città fortificata. La grande famiglia dei Butler, conti di Ormonde, tenne il castello e le ricche terre intorno dal 1391 fino al 1715, anno in cui le loro proprietà vennero confiscate per ribellione contro gli Inglesi. Ebbero così fine i tempi gloriosi di Kilkenny.

*Sopra: un particolare di una vetrata a mosaico nella duecentesca Black Abbey, una delle quattro abbazie della città di Kilkenny.
Sotto: il castello di Kilkenny, residenza della famiglia Butler, conti di Ormonde, fu sede del parlamento dal 1631.*

L'abbazia di Jerpoint

A pochi chilometri da Thomastown si trovano i bei ruderi dell'**abbazia di Jerpoint**. Risalente al 1158, fu fondata per i Benedettini dal re di Ossory, Donal Mac Giolla Phádraig. Nel 1180 i monaci cistercensi provenienti da un monastero di Baltinglass, nella contea di Wicklow, ne avevano preso possesso. Dopo la Riforma, le terre dell'abbazia vennero date in concessione al conte di Ormonde. L'abbazia ha la tipica struttura cistercense, costruita attorno a un quadrangolo, con porticati su tre lati e una chiesa sul quarto. Parti dell'abbazia furono ricostruite nel Quattrocento, e nel chiostro furono aggiunte pregevoli sculture di animali, piante e figure umane. Sui lati opposti della stessa colonna si trovano un vescovo e un abate, un cavaliere con le insegne del conte di Ormonde e sua moglie, cui sono stati attribuiti in maniera incerta i nomi di Sir Piers Butler e Margaret Fitzgerald.

Sopra: la torre nell'angolo nord dell'abbazia di Jerpoint fu probabilmente aggiunta nel XV secolo. Sotto: eleganti sculture di santi, cavalieri, animali e piante decorano il chiostro dell'abbazia.

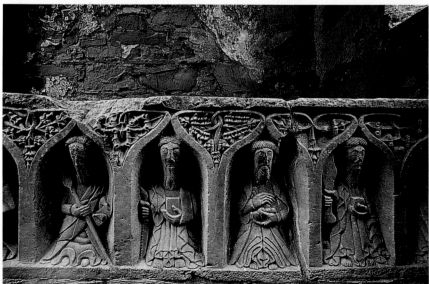

CARLOW

A sud-ovest di Dublino, **Carlow** è la più piccola contea di tutta l'Irlanda interna ed è in gran parte dedita all'agricoltura. Ma ha anche una certa quantità di belle case di campagna come **Dunleckney Manor**, presso **Bagnelstown**, **Castletown Castle**, a **Clonegal**, e magnifici giardini, molti dei quali aperti al pubblico, come gli **Altamont Gardens**, presso **Kilbridge**, o i **Lisnavagh Gardens**, a **Rathvilly**.

Il dolmen di Browne's Hill

Questa enorme struttura in pietra databile tra il 3300 e il 2900 a.C., e la sua pietra di coronamento, che giace orizzontalmente sopra le altre pietre, con un peso di circa 101 tonnellate è la più grande d'Europa. Nessuno è riuscito a svelare il mistero della strana collocazione di questa pietra di coronamento, con un lato conficcato nel terreno e l'altro che poggia su tre pietre di dimensioni decisamente minori. Nel dolmen tipico, infatti, la pietra di coronamento ha la parte frontale rivolta verso l'alto, appoggiata su due alte pietre, grosso modo, della stessa dimensione, a mo' di portale. Di dolmen e anche di tombe a corridoio risalenti al Neolitico, è costellata la campagna irlandese. Usati come luoghi di sepoltura comune, si suppone che fossero anche luoghi per riti religiosi, forse addirittura per sacrifici umani.

Il dolmen di Browne's Hill, il più grande d'Europa, risale al 3300-2900 a.C.

KILDARE

Il territorio della **contea di Kildare** rientra nel Pale, quella porzione di terra "civilizzata" dalla colonizzazione inglese. Non fa perciò meraviglia trovare qui grandi residenze di campagna come **Castletown House**, ma Kildare ha anche rigogliose praterie, acquitrini e una profusione di magnifiche croci paleocristiane che vale la pena rintracciare.

La Cattedrale di St Brigid

St Brigid è una delle sante più importanti, anche se si tratta probabilmente di una mescolanza tra una dea precristiana e una successiva Brigida cristiana. Secondo la leggenda, Brigida fu venduta dal proprio padre come schiava, ma una volta liberata tornò da lui come serva. In seguito fondò il primo convento d'Irlanda. Divenne un centro di studi, producendo manoscritti miniati e preziosi libri. Si crede che la **Cattedrale di St Brigid**, che domina la città di Kildare, sia stata costruita nel luogo dove sorgeva il suo monastero del V secolo.

Parti della costruzione risalgono al XII secolo, ma nel Quattrocento, e ancora nel Settecento, essa subì ampi rimaneggiamenti. È del XII secolo la **torre a pianta circolare**, su cui val la pena salire per godere la splendida vista.

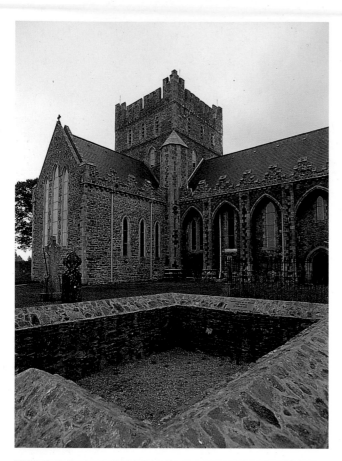

La cattedrale di St Brigid, nel centro di Kildare, costruita nel luogo del monastero della santa, del V secolo.

Irish National Stud

Kildare va famosa per i suoi cavalli allevati e allenati nelle praterie del **Curragh**. Qui si trovano anche molti ippodromi e l'Allevamento Nazionale, (*Irish National Stud*) fondato nel 1900 dal colonnello Hall Walker. Walker, un tipo eccentrico, credeva fermamente negli oroscopi e all'influenza delle stelle sul successo di un cavallo. Le stalle sono disposte conformemente alle sue credenze astrologiche. Che avesse o no ragione, l'Allevamento Nazionale ha avuto un notevole successo, e i suoi cavalli si possono ammirare nelle riunioni ippiche che si tengono da aprile a settembre.

I Giardini giapponesi

Sui terreni dell'Allevamento Nazionale, tra il 1906 e il 1910, il colonnello Hall Walker impiantò anche, con l'aiuto di un giardiniere giapponese, Tasa Eida, i **Giardini giapponesi**. I giardini simboleggiano "la vita dell'uomo" e si può letteralmente camminare sul sentiero della vita, dalla nascita, passando attraverso il matrimonio o il celibato, per varcare alla fine la Porta dell'Eternità.

Alcuni splendidi purosangue del National Stud. Sotto: i Giardini giapponesi.

Sopra: *Castletown House, il cui corpo centrale e i colonnati introdussero in Irlanda lo stile palladiano. Al centro, a sinistra: lo scalone principale, incompiuto per 40 anni, si trova in una sala a parte, decorata dai più abili artigiani dell'epoca. A destra e sotto: particolari della Long Gallery, lunga 24 m e decorata in stile pompeiano.*

Castletown House

A una delle più belle dimore d'Irlanda, **Castletown**, nel paese di **Celbridge**, viene attribuita l'introduzione dello stile palladiano nell'architettura irlandese. Anche durante i lavori di costruzione Castletown House fu vista come una specie di monumento nazionale. Commissionata da William Conolly, Presidente della Camera dei Comuni d'Irlanda e, dal 1716, giudice di Corte d'Appello, la casa fu un atto di patriottismo e una mossa politica.

Conolly aveva costruito la sua fortuna economica con la compravendita di terre confiscate in seguito alla campagna militare di Guglielmo d'Orange. Fieramente orgoglioso di essere irlandese, e adesso molto potente, egli era deciso a promuovere gli interessi irlandesi e l'orgoglio nazionale. Assunse il miglior architetto del continente, l'italiano Alessandro Galilei, che aveva progettato la Basilica del Laterano a Roma. Quanto del progetto di Castletown sia di Galilei è comunque cosa incerta. Egli disegnò senza dubbio il corpo centrale dando così l'avvio a una moltitudine di imitazioni. I padiglioni e gli interni sono forse opera di Edward Lovett Pearce, che subentrò nei lavori nel 1724.

Dopo la morte di Conolly, la sua vedova si concentrò su una serie di insoliti lavori che dessero sollievo dalla carestia nella sua proprietà: la **Follia di Conolly**, il **Granaio delle Meraviglie** e la **Loggia di Batty Langley**. Ma molta parte degli interni dovette aspettare fino al 1758 e l'arrivo di Lady Louisa Lennox, moglie del pronipote di Conolly, che assunse lo scalpellino Simon Vierpyl per installare la grande scalinata, e i Francini, famosi stuccatori italiani, per eseguire gli squisiti stucchi della **sala dello scalone**. A lei si deve anche la **stanza delle stampe**, il primo esempio esistente. Lady Louisa visse a lungo e amò Castletown. Morì come aveva desiderato, seduta sotto una tenda nel prato sul davanti in modo che i suoi occhi si chiudessero sulla sua casa.

LE MIDLANDS

OFFALY

Il **Grand Canal**, nel suo percorso verso il fiume Shannon attraversa le pianure della **contea di Offaly**. A sud si trovano le colline pedemontane dei monti **Slieve Bloom**, mentre a est e a ovest si trovano le maremme che forniscono al paese la torba che costituisce il più importante combustibile.

Il monastero di Clonmacnois

Clonmacnois sorge su un'ansa del fiume Shannon e fu fondato da St Ciarán nel 545 dopo che egli ebbe abbandonato il suo eremo su un'isola sul Lough Ree. Il monastero crebbe in dimensioni e reputazione fino a divenire per un certo periodo il più importante centro religioso del paese. Stando alle supposizioni, il suo camposanto contiene le spoglie di sette re di Tara, oltre quelle dell'ultimo Gran Re Rory O'Connor e di molti dei più grandi antichi eroi dell'Irlanda (rimangono ancora molte lapidi tombali paleocristiane). Era anche un centro di studi: dal suo *scriptorium* proviene il *Book of the Dun Cow*, ora alla **Royal Irish Academy** a Dublino. Ma l'importanza e la ricchezza del monastero attrassero la malaugurata attenzione dei corsari vichinghi: tra l'841 e il 1204 fu dato alle fiamme ben ventisei volte. Infine, nel 1552, la guarnigione inglese di stanza a Athlone saccheggiò il monastero. Clonmacnois non risorse mai più.

Quanto fosse una volta importante Clonmacnois lo si capisce però da quanto ne rimane: due **torri a pianta circolare**, un **castello** normanno eretto per ripagare un abate dei danni arrecati alla sua proprietà, tre **croci votive**, varie **chiese**, e una **cattedrale**.

Una torre a pianta circolare nel monastero di Clonmacnois, che si dice sia stata costruita nel 964 e riedificata nel 1134 dopo che fu colpita da un fulmine.

55

Sopra: *il castello di Birr, ancora abitato dai conti di Rosse per i quali fu costruito ai primi del Seicento. Sotto: i giardini del XIX secolo contengono i resti di un telescopio lungo 16,5 m.*

Pagina accanto, sopra: *la porta a Dublino del medievale castello di Trim, le cui mura racchiudevano un'area di 1,2 ettari. Sotto: la medievale abbazia di Bective, fondata dal re di Meath che detenne un seggio al parlamento.*

Birr

La città di Birr è un elegante centro georgiano con strade ampie e raffinate, costruito attorno al **castello di Birr**, che fu la residenza dei Parsons, in seguito divenuti conti di Rosse. Il castello, ancora abitato dalla famiglia, fu costruito ai primi del Seicento e sorge su una cascata che si getta in uno dei due corsi d'acqua della tenuta. I giardini furono disegnati nel primo Ottocento e vantano un lago artificiale, giardini all'italiana con viali di carpine bianco, le più alti siepi del mondo e più di mille varietà di alberi e arbusti. Ma più famosi di ogni altra cosa sono i resti di un telescopio di 16,5 m, all'epoca il più lungo del mondo. Charles Parsons, terzo conte di Rosse e apprezzato scienziato, lo fece costruire sul posto nel 1845, e il suo specchio di 183 cm di diametro, ora al Museo della Scienza di Londra, lo aiutò nelle sue ricerche sulle nebulose a spirale. Le mura che sostenevano il telescopio sono ancora in piedi, ma il telescopio è stato smontato.

MEATH

Fino al XVI secolo, la **contea di Meath**, insieme all'adiacente **contea di Westmeath**, costituiva la quinta provincia dell'Irlanda. Alimentata dal fiume Boyne, la campagna di Meath rigogliosa e verdeggiante attrasse i primi abitanti che vi si trasferirono dalle regioni costiere, e da qui il Gran Re una volta governava sull'Irlanda.

Il castello di Trim

Nel centro della città medievale di **Trim** sorgono i ruderi di un grande castello abbandonato alla metà del Cinquecento. Protetto su tre lati da mura spesse fino a tre metri e mezzo e dal fiume Boyne sul quarto, sorge sul luogo dove era stato costituito un antico rilievo fortificato con una torre in legno, distrutto dal fuoco e ricostruito e infine demolito prima del 1212.

L'abbazia di Bective

Più a nord, lungo il Boyne, un'abbazia cistercense fu fondata nel 1150 dal re di Meath. L'abate aveva un seggio al Parlamento, se ne deduce quindi che **l'abbazia di Bective** doveva essere molto importante. I ruderi che risalgono al XII secolo, quando l'abbazia fu ricostruita, sono quelli della **sala capitolare**, degli ambienti di servizio e deii portali dell'**ala sud**. Nel XV secolo gli edifici vennero fortificati, il **chiostro** ricostruito e furono aggiunte la **torre** e la **sala grande**. L'abbazia fu soppressa nel 1536.

La collina di Tara

Pochi luoghi in Irlanda sono legati alla storia e alla leggenda come la collina reale di **Tara**. Qui il Gran Re riuniva la sua corte e si tenevano i rituali del potere sovrano. E secondo la leggenda fu sull'adiacente **collina di Slane** che nel V secolo San Patrizio scelse di sfidare il potere pagano di Tara e il suo Gran Re Laoghaire. L'incontro fu importante: Laoghaire si convertì al dio di San Patrizio ed ebbe così inizio la cristianizzazione dell'Irlanda.

Ma l'importanza religiosa di Tara risale in realtà a molto prima, alla preistoria e al culto dei re-sacerdoti che si sviluppò in quello dei gran re.

Gli scavi rivelano che Tara contiene molti luoghi sepolcrali dell'Età del Ferro, palizzate e terrapieni difensivi. Vista dal basso, la collina è deludente – è poco più di un monticello erboso – ma dall'alto offre un'impressionante veduta verso est fino alla costa, verso nord fino alle montagne di Mourne e a sud fino a Wexford.

Sopra: il Lia Fáil, o Pietra del Destino, la pietra inaugurale, si diceva che ruggisse quando un re degno le sedeva sopra.
Sotto: la collina di Tara, sulla quale è evidente la fortificazione nota come "Cormac's House".

Newgrange

Newgrange, **Dowth** e **Knowth** sono le tre tombe a tumulo più importanti della necropoli di **Brú na Bóinne**, sull'ansa del Boyne oltre Slane. Newgrange, di gran lunga quella più rilevante, è considerata uno dei siti preistorici di maggiore interesse in Europa. Consiste in una grande camera sepolcrale, posta al di sotto di un tumulo alto circa 9 m per 104 m di diametro, raggiungibile attraverso un passaggio rinforzato da blocchi di pietra, lungo 19 m. Il soffitto della camera sepolcrale, alto 6 m e realizzato con lastre di pietra sovrapposte è in perfetto stato di conservazione. Spirali e motivi geometrici dal significato sconosciuto decorano le pietre del passaggio e della camera sepolcrale.

All'alba del 21 dicembre, giorno del solstizio d'inverno, un raggio di sole penetra da una fessura del tetto, attraverso tutto il passaggio e illumina la camera sepolcrale. Non fa meraviglia che questo antico sito compaia in molte leggende celtiche.

La tomba di Newgrange, costruita intorno al 3200 a.C.
Sopra: all'alba, durante il solstizio d'inverno, una fessura al di sopra dell'ingresso indirizza i raggi del sole nella galleria interna per illuminare la camera principale. Sotto: il tumulo, alto 9 m.

LOUTH

Dopo molte svolte e anse, il fiume Boyne raggiunge alla fine il mare a **Drogheda**, una città vichinga situata sulle sponde del fiume. La costa di questa contea è orlata da lunghe spiagge sabbiose, mentre a nord, a **Carlingford**, proprio come dice una famosa canzone, le montagne di **Mourne** "si gettano in mare".

Drogheda

I Vichinghi costruirono un insediamento su ciascuna riva del Boyne, e il ponte che le unisce dette il nome alla città, *Droichead Átha*, che vuol dire "Ponte del Guado". Nel Trecento Drogheda era giunta a rivaleggiare con Dublino, ospitando anche delle sedute del Parlamento. Oggi, della città medievale rimangono alcune tracce nelle opere di difesa. Nel 1649 passò per Drogheda Oliver Cromwell, massacrando duemila soldati della guarnigione e inviando i sopravvissuti come schiavi alle Barbados. Tuttavia la maggior parte della città risale ai più pacifici giorni del Sette e dell'Ottocento.

Sopra: *la cittadina di Drogheda, sulle rive del fiume Boyne.* Sotto: *resti della prima abbazia cistercense irlandese a Mellifont.*

L'abbazia di Mellifont

Prima abbazia cistercense in Irlanda, **Mellifont** fu fondata nel 1142 da St Malachy, Arcivescovo di Armagh. Al colmo del suo splendore, come Casa Madre dell'Ordine, Mellifont aveva autorità su qualcosa come altri trentotto monasteri in Irlanda. Il monastero fu soppresso in seguito allo scioglimento delle abbazie ordinato da re Enrico VIII nel 1539. Le rovine mostrano il rango e la grandiosità della costruzione originale.

La Croce di Muiredach

Non lontano dall'abbazia di Mellifont si trova **Monasterboice**, un monastero molto più piccolo, famoso per le sue due **croci celtiche** e per la **torre a pianta circolare**. La **Croce di Muiredach** è la più piccola e la meglio conservata delle due. Entrambi le croci sono decorate con scene tratte dalla Bibbia eseguite in rilievo su ogni lato. Molte sono state identificate: vi si trovano il Giudizio Universale, i Re Magi che recano doni al Bambin Gesù e la Crocifissione. Fondato nel 521, Monasterboice fu abbandonato qualche tempo dopo il 1122. Nell'incendio del 1097 la torre cilindrica andò a fuoco e insieme andarono perduti anche i manoscritti e i testi che vi erano racchiusi.

A destra: *il lato est della Croce votiva nota come Croce di Muiredach, del X secolo, su cui si vedono scene bibliche come Davide che uccide il leone e l'Ascensione.* Sotto: *l'interno di una delle due chiese di Monasterboice.*

Le sei contee che costituiscono la provincia di **Munster** hanno dei paesaggi del tutto diversi tra loro. Si va dalla lussureggiante **Tipperary** alla pittoresca **Waterford**, dalla leggiadra bellezza del **Cork** e delle sue baie agli splendidi laghi del **Kerry**, dalla storica **Limerick** alle piane calcaree del **Clare**.

TIPPERARY

Forse è a causa della contea di **Tipperary** che l'Irlanda è famosa nel mondo per essere verdeggiante. Il fiume Suir attraversa sinuoso la vasta pianura della **Golden Vale**, la Valle d'Oro, irrigando questi verdi pascoli per le mandrie di mucche da latte, mentre a sud si stagliano i monti **Galtee** e **Comeragh**.

La Rocca di Cashel

Dalla sua posizione dominante sul circostante altopiano, la spettacolare **Rocca di Cashel**, tutta merli e torri, incute un timore reverenziale. Questo gruppo di edifici ecclesiastici medievali comprende la **Cappella di Cormac**, una **cattedrale**, una **torre cilindrica**, una **casa-torre** e il **Salone dei Vicari** con la **croce votiva di San Patrizio**, che si dice fosse la pietra dell'incoronazione dei re di Munster.

Nel luogo dove sorge la rocca vi era nel IV secolo una fortificazione dei re di Munster, e Brian Boru, il re di Munster che riuscì unificare l'Irlanda sotto il suo comando, quando nel X secolo fu incoronato qui, dichiarò Cashel la sua capitale. La cappella di Cormac risale ai primi del XII secolo, e sia i portali, con le loro complesse sculture di animali e teste umane, che i pilastri e le loro decorazioni, sono superbi esempi di scultura romanica. All'interno si trova un sarcofago dove si ritiene sia sepolto Cormac, re, vescovo e studioso. La torre cilindrica potrebbe risalire al X secolo, mentre la cattedrale, di impianto gotico, è del Duecento.

Sopra: la straordinaria Rocca di Cashel, con un'antica chiesa, una grande cattedrale, una torre cilindrica, una casa-torre. Al centro: la quattrocentesca Sala dei Vicari. Sotto: elaborate sculture di santi nella pietra di una tomba posta sotto un altare della cattedrale.

La Torre di Reginald, a Waterford, il cui primo nucleo risale probabilmente al XII secolo.

WATERFORD

La **contea di Waterford** è molto pittoresca, con montagne scoscese a nord e una costa ricca di insenature sabbiose e alte scogliere a sud. Il fiume Suir attraversa la contea di **Waterford** continuando il suo corso verso sud da Tipperary e gettandosi poi in mare presso la città di Waterford, un porto importante. Vichinghi, Normanni e Anglo-Irlandesi hanno lasciato le loro impronte nella campagna seminando qua e là case-torri, castelli e imponenti magioni. La stessa Waterford, come molte altre città, deve la sua importanza alla presenza di un profondo porto naturale alla foce di un fiume il cui corso si addentra all'interno verso il fertile sud-est. I Vichinghi furono i primi a sfruttare queste particolarità quando nel 914 fondarono la città. Quando Dermot MacMurrough, re di Leinster, invitò l'anglo-normanno conte di Pembroke perché gli assicurasse il controllo della città, strategicamente importante, lo fece nel quadro di una tattica per diventare re d'Irlanda. L'invito ebbe tuttavia conseguenze impreviste, portando alla fine alla colonizzazione anglo-normanna dell'Irlanda. La città medievale divenne un porto fiorente e tale fu fino al XIX secolo. L'architettura di Waterford riflette il suo passato commerciale, vi sono zone di eleganza georgiana, le lunghe banchine e gli stretti vicoli della Waterford vichinga e medievale. Il lato più sporco del suo quartiere commerciale, le banchine, costellate di gru e navi mercantili, porta ancora alla zona una relativa prosperità.

La torre di Reginald

La massiccia struttura cilindrica della **torre di Reginald** ha avuto molte vesti. Costruita, a quanto si crede, nel 1003 da Reginald il Danese, presenta oggi una struttura più verosimilmente risalente al tempo dei Normanni. Fu qui, stando alla leggenda, che il conte di Pembroke, o Strongbow, come fu poi chiamato, reclamò la sua ricompensa per aver conquistato Waterford per conto di Dermot MacMurrough, re di Leinster. Gli venne data in sposa Aoife, la figlia di MacMurrough, e quanto lei ereditava, consolidando l'alleanza tra il conte normanno e il re irlandese, la prima del genere. Nel 1463 fu sede della zecca cittadina, mentre nell'Ottocento divenne una prigione. Oggi ospita il **Museo Civico**.

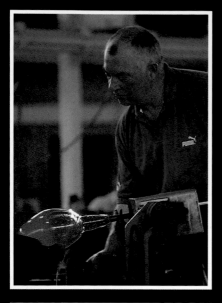

La cristalleria di Waterford

Waterford è nota in tutto il mondo per il suo **cristallo**, magnificamente lavorato in pezzi ornamentali e funzionali soffiati o molati. Nel 2010 in città è stata inaugurata la nuova *House of Waterford Crystal*, che si articola in una cristalleria – la fabbrica vera e propria –, un centro visitatori e un punto vendita al dettaglio. Tour guidati alla cristalleria consentono ai visitatori di vedere direttamente come nasce il celebre cristallo.

IRLANDA SUD OCCIDENTALE

CORK

Quella di **Cork** è la più grande contea dell'Irlanda. Lungo la sua costa frastagliata vi sono porti come **Youghal**, **Kinsale**, **Crosshaven** e, naturalmente, **Cork**, che erano una volta fiorenti centri mercantili. A est, la campagna è dolce, e buon terreno agricolo, ma a ovest diviene più selvaggia e la sue singolari bellezze – il passo montano di **Gougane Barra**, le scogliere di **Capo Mizen**, promontori rocciosi, baie sabbiose protette – hanno spinto artisti e artigiani provenienti da tutto il mondo a stabilirsi qui.

La città di Cork

Cork ha il vanto di essere la seconda città dell'Irlanda. La città vecchia sorge in posizione elevata su un estuario, su una grande isola circondata dal fiume **Lee**, che le ha portato, grazie ai traffici, una grandissima ricchezza. Sulla riva opposta spicca il disordinato sviluppo di una Cork più moderna.

Il primo insediamento di Cork lo si deve a St Finbarr, che nel VII secolo costruì una scuola nel luogo dove ora sorge la **cattedrale**. Come accadde per la maggior parte delle città irlandesi, seguirono puntualmente nel IX secolo i Vichinghi e nel XII i Normanni. Gran parte della città fu distrutta dalle forze di Guglielmo d'Orange nell'Assedio di Cork, del 1690, ma i secoli che seguirono furono di espansione: il commercio portò grande ricchezza, e la città crebbe in fretta. Molte delle belle case del Sette e dell'Ottocento sono state finanziate da quella prosperità. In tempi più vicini, la città soffrì nella lotta per l'indipendenza e la Guerra Civile.

Sopra: la città di Cork è un miscuglio di guglie e torri. Sotto, a sinistra: la bella chiesa georgiana dl St Anne Shandon, dove i visitatori possono salire sul campanile per suonare le campane. A destra: il fiume Lee separa l'isola dal centro della città.

Sopra, destra e sinistra: *il carcere di Cork è oggi un museo che mostra uno spaccato della storia del movimento repubblicano e della vita carceraria. Sotto: la cattedrale di Pugin nel pittoresco porto di Cobh.*

Il carcere di Cork

Il **carcere di Cork** è oggi un museo inteso a mostrare le vite e le fedi di quanti vi vennero rinchiusi, molti dei quali, nei primi lustri del XX secolo, erano legati al movimento repubblicano, ed esporre reperti archeologici e geologici. Cork ebbe un ruolo importante nelle guerre anglo-irlandesi e civili – di Cork era Michael Collins, Comandante in Capo delle forze del governo irlandese – e la città subì il saccheggio dei Black and Tans, un tristemente famoso reggimento dell'esercito inglese, che provocarono danni per due milioni e mezzo di sterline e nel marzo 1920 assassinarono il sindaco di Cork, Thomas MacCurtain, mentre il suo successore Terence MacSwiney fu imprigionato per essere un repubblicano e morì nell'ottobre dello stesso anno nel carcere di Brixton, a Londra, in seguito a uno sciopero della fame.

Cobh

La graziosa cittadina portuale di **Cobh** è dominata dalla sua cattedrale, costruita in stile gotico da Pugin. Era anche l'ultimo porto d'imbarco di molti transatlantici: molti emigranti irlandesi si imbarcarono a Cobh, il *Titanic*, dal destino funesto, si fermò qui, così come il *Lusitania*, silurato a largo delle coste irlandesi da un sottomarino tedesco nel 1915. Molte delle vittime sono sepolte nel vecchio camposanto della chiesa. Ma Cobh è associata anche a cose più allegre, come stazione termale vittoriana, come Bath e Brighton in Inghilterra, e come centro di sport velici: lo yachting club di Cobh risale al 1720.

L'abbazia di Timoleague

All'interno, sul fangoso estuario del fiume Argideen, sorge il paesino di **Timoleague**. È dominato dai ruderi dell'**abbazia francescana** fondata nel 1312 da Donal Glas MacCarthy, un membro della famiglia più potente della zona, che qui è sepolto. Dopo lo scioglimento degli ordini monastici voluto nel Cinquecento da Enrico VIII, i frati vi fecero ritorno nel 1604 ed eseguirono molti restauri e rifacimenti. Tuttavia, quando nel 1642 un'armata inglese bruciò il monastero e il villaggio di Timoleague, l'abbazia fu abbandonata. Ne rimangono la chiesa, la clausura, un camposanto, alcune croci e pietre tombali deformate.

Sopra: *l'abbazia di Timoleague fondata nel 1312 e definitivamente abbandonata nel Seicento.* Sotto: *lo splendido panorama che si gode guardando verso sud dal Passo di Healy.*

Kinsale

La baia di **Kinsale** è ben protetta da una lingua di terra che piega verso l'interno dell'insenatura da ovest. Dietro questa striscia di terra il paese di Kinsale si arrampica verso l'alto con strette viuzze che dominano l'operoso porto. Un approdo naturale posto così a sud ebbe nel burrascoso passato dell'Irlanda un'enorme importanza strategica. Qui nel 1601 si svolse la disastrosa battaglia di Kinsale che pose fine al dominio dei signori gaelici e provocò la "Fuga dei Conti", che scapparono in Europa lasciando le loro terre agli Inglesi. Ma al giorno d'oggi Kinsale è più nota per le sue belle case dai vivaci colori, i suoi ristoranti per buongustai e il suo grazioso porticciolo turistico.

La chiesa di St Multose

Costruita sul luogo di un monastero fondato da St Multose, cui si ritiene sia dedicata una statua sopra l'ingresso occidentale, la chiesa come oggi si presenta risale al XII secolo. Elementi originali di quell'epoca sono l'insolito campanile e il portale romanico. Il **coro** e il **presbiterio** sono aggiunte del 1560. Altri elementi furono aggiunti nell'Ottocento.

La Old Courthouse

Quando il transatlantico *Lusitania* fu silurato da un sottomarino tedesco a largo di Kinsale, nel 1915, morirono 1198 persone. Che la nave stesse trasportando polvere da sparo, come sostennero i Tedeschi, o solamente i suoi disgraziati passeggeri, come dissero gli Americani, l'evento è ritenuto la causa dell'entrata degli Stati Uniti nella Prima Guerra Mondiale. L'inchiesta fu tenuta nella **Old Courthouse**, il vecchio tribunale, che rimane ora a commemorare l'avvenimento.

Sopra, a destra e a sinistra: la chiesa di St Multose, con il suo insolito campanile, e la Old Courthouse, che commemora le vittime dell'affondamento del Lusitania. Al centro e sotto: le strette vie di Kinsale, gli eccellenti ristoranti e pub sono un forte richiamo per buongustai irlandesi e stranieri, specialmente durante il Gourmet Festival, ai primi di ottobre.

Sopra: *il cerchio di megaliti di Drombeg è uno dei meglio conservati siti del genere. Sotto: un ricovero di cacciatori nei pressi, con i resti di una capanna e di un luogo per cucinare.*

Drombeg

Durante gli scavi del cerchio megalitico di **Drombeg** (2,5 km circa ad est di Glandore), al centro di diciassette monoliti posti verticalmente venne rinvenuta un'urna contenente un corpo cremato, segno evidente che il luogo poteva avere avuto qualche funzione rituale. Il monolite posto al margine occidentale giace in posizione orizzontale, con incisa sopra quella che sembra l'impronta di un piede umano o una ciotola. Si ritiene che il cerchio risalga al II secolo ed è solo uno dei tanti sparsi per tutta l'Irlanda. Vi sono numerose teorie riguardo alla funzione di questi cerchi megalitici: essi potevano essere "osservatori" preistorici, usati per studiare i movimenti celesti, o luoghi per riti religiosi. Nelle vicinanze si trovano i resti di un antico ricovero di cacciatori: una capanna e un luogo per cucinare.

Sopra: *un ponte sospeso collega il faro di Capo Mizen con la terraferma.* Al centro: *la penisola si protende profondamente entro l'Oceano Atlantico.* Sotto: *l'ampia distesa della baia di Barleycove.*

Capo Mizen

La lunga penisola che a sud si protende sull'Oceano Atlantico al di sopra della **Roaring Water Bay** (Baia delle Acque Ruggenti), nella contea di Cork è **Capo Mizen**. Le alte scogliere che si innalzano a picco sopra il mare rendono queste acque pericolose per la navigazione, e numerosi sono stati i naufragi nella **baia di Dunlough**, a nord. Da un'isola collegata a Capo Mizen tramite un ponte sospeso, un faro stende sul mare il suo fascio luminoso per mettere sull'avviso i naviganti. Tutto intorno è un paesaggio selvaggio e desolato, ricco di siti sepolcrali preistorici, rudimentali fortificazioni e castelli medievali. Proprio sul Capo Mizen si trovano i resti del **Three Castle Head**, uno dei dieci castelli costruiti lungo la penisola dal clan O'Mahony nel Quattrocento. Lungo il lato meridionale della penisola gli ameni paesini di **Schull** e di **Ballydehob** pullulano di artisti venuti da fuori: orafi, tessitori e scrittori, che si sono innamorati dei magnifici panorami e dell'atteggiamento rilassato degli abitanti e sono rimasti.

Barleycove Beach

Questa meravigliosa distesa di spiaggia sabbiosa infilata dietro il **Capo Mizen** è bagnata dalla Corrente del Golfo e può perciò vantare le acque più calde dell'Irlanda, cosa che unita alle sue lunghe onde atlantiche la rende frequentatissima dai surfisti.

Sopra: *Bantry House, costruita nel 1720 e via via ampliata nel corso dei secoli. Al centro:* la sala da pranzo blu, con ritratti eseguiti da Allan Ramsay. Sotto: *la sala degli arazzi, che si ritiene contenga un arazzo appartenuto a Luigi Filippo d'Orléans.*

Bantry House

Nessun'altra casa di campagna in Irlanda offre una vista tanto spettacolare come **Bantry House**. Posta sulla punta di una stretta insenatura dominante le acque della baia di Bantry, stende il suo sguardo su **Whiddy Island** e sulle maestose **Caha Mountains**. La casa originale, di tre piani, fu costruita nel 1720, ma nel 1746 fu acquistata da Richard White, un agricoltore di Whiddy Island che aveva accumulato una fortuna, probabilmente con il contrabbando. Egli acquistò anche gran parte della terra sulla penisola di Beara. Suo nipote, Richard White anche lui, fu fatto nobile per essere rimasto fedele all'Inghilterra quando nel 1796 una flotta francese arrivò alla baia di Bantry per dar manforte all'insurrezione degli United Irishmen. Durante la sua vita egli aggiunse alla casa un'appendice di due piani e la facciata nord che guarda verso il mare. Ma fu un altro conte, viaggiatore e intenditore d'arte, che raccolse gli straordinari tesori che la casa oggi contiene, incomparabili arazzi – Gobelins e Aubussons –, dipinti e mobili. Egli dovette considerevolmente ampliare la casa per sistemare la sua collezione. Gli splendidi giardini terrazzati che salgono dietro la casa sono stati recentemente restaurati.

Sopra: *gli esotici giardini di Garnish Island, dove la Corrente del Golfo favorisce la crescita di piante sub-tropicali. Sotto: una delle tante foche che prendono il sole sugli scogli della baia di Bantry.*

Garnish Island

Proprio di fronte a **Glengariff**, nella baia di **Bantry**, si trova un'isoletta chiamata **Garnish**. Fino al 1910 questa era un affioramento roccioso come le montagne che dalla terraferma la guardano. Il suo proprietario, John Annan Bryce, vi fece arrivare del terriccio e organizzò dei giardini stupefacenti, un miracolo di rigoglio in una brulla zona rocciosa. C'è un **giardino all'italiana**, progettato da Harold Peto, un **tempio greco** rivolto verso il mare, una **torre di avvistamento** e una **torre dell'orologio**. Fu qui che il drammaturgo premio Nobel George Bernard Shaw scrisse *Santa Giovanna*. L'isola fu donata allo stato dal figlio di Bryce.

L'Isola delle Foche

I battellieri che portano i turisti a **Garnish Island** tralasciano raramente di fare una capatina agli isolotti rocciosi dove le foche amano sdraiarsi e crogiolarsi al sole. Forse sono le acque più calde che la Corrente del Golfo spinge entro la baia di Bantry che piacciono tanto agli animali.

KERRY

Nel **Kerry** non c'è luogo che sia lontano dall'acqua, tanto che si tratti dell'Oceano Atlantico che si frange intorno alle molte penisole montagnose del Kerry o dei tanti laghi attorno a **Killarney**. È un panorama straordinario, con la vetta più alta dell'Irlanda, **Carrauntoohil**, che sporge dalle **Fumarole di MacGillycuddy** in contrasto con il gentile paesaggio dei laghi e delle loro isole. Forse è la posizione defilata del Kerry che ha fatto sì che la cultura irlandese rimanesse viva in questa zona: qui si può ascoltare musica tradizionale suonata nei pub, avere l'occasione di ballare all'irlandese, sentire parlare irlandese in una delle zone del *Gaeltacht* lungo la penisola di Dingle, e osservare le merlettaie al lavoro.

Sopra e al centro, le suore di un convento di Kenmare hanno perfezionato uno stile particolarissimo nella produzione del merletto, che oggi si può trovare in molti dei negozi di artigianato della zona, sotto.

Kenmare

Il paese di pescatori di **Kenmare**, benché piccolo, è sorprendentemente cosmopolita, con molti turisti e residenti stranieri. Nondimeno, in mezzo ai negozi che vendono cibo genuino e articoli per i turisti, i negozi di gastronomia e i costosi ristoranti, la sua cultura originale viene perpetuata. L'artigianato tradizionale, come il merletto, inventato dalle suore del convento del posto e di tale perfezione tecnica da imporre prezzi altissimi, riempie i negozi per turisti, e il giorno di mercato è ancora il giorno più importante del mese. Gli agricoltori del posto conducono al mercato il loro bestiame, mercanteggiano a lungo ad alta voce e sigillano la conclusione di un affare sputandosi sul palmo della mano destra e stringendosela.

Sir William Petty, il sovrintendente generale di Oliver Cromwell, fondò il paese intorno al 1640 come struttura di servizio per la sua fonderia presso il fiume Finnihy. Il ferro vi veniva fuso con il carbone di legna, e di conseguenza i boschi del circondario furono devastati. Ma fu il primo marchese di Lansdowne, un latifondista locale, che decise nel 1775 il piano urbanistico dell'abitato, disegnando uno schema a X.

Nei giorni di mercato gli agricoltori del posto si riuniscono per scambiarsi pettegolezzi e concludere affari.

Sopra: è dal 1756, quando Lord Kenmare aprì quattro grandi strade per incoraggiare il flusso di visitatori, che i magnifici laghi di Killarney attraggono turisti. Sotto: la Gola di Moll, dove secoli di erosione glaciale hanno levigato grandi massi.

I laghi di Killarney

Tutto il paesaggio di questa parte dell'Irlanda deve la sua bellezza ai ghiacciai dell'ultima Era Glaciale, risalente a oltre un milione di anni fa. Una lastra di ghiaccio si spostò verso sud dalle midlands, un'altra andò a nord da **Bantry**, un'altra ancora passò a nord attraverso le **Fumarole di MacGillycuddy** e le montagne intorno a **Killarney**. Ventimila anni fa, quando il ghiaccio si ritirò, scavò i tre profondi e magnifici laghi. Il **Lago di Sopra** fu letteralmente scavato come con un cucchiaio, mentre quello **di Mezzo** e quello **di Sotto** si formarono durante il disgelo per via della dissoluzione degli strati di calcare che giacevano al di sotto del ghiaccio. Altrove i ghiacciai hanno lasciato nella loro scia detriti, alla **Gola di Dunloe** e a est di **Lough Currane**, e hanno consumato massi giganti e rocce alla **Gola di Moll**. Oggi le montagne sono coperte del cremisi dell'erica e vi si trova un quarto delle piante rare irlandesi. Da maggio a luglio i versanti delle colline e le aree più umide abbondano di piante comuni nel Mediterraneo e in Portogallo, come la pinguicola e la sassifraga, mentre in luglio e agosto appaiono bizzarrie americane, come la fienarola e insoliti giunchi.

Sopra, a sinistra: *pescherecci nel porto di Dingle, adatti tanto a portare i turisti ad ammirare incantevoli panorami quanto alla pesca. A destra: Dingle, piena di case dai colori pastello, pub pieni di vita e buoni ristoranti. Sotto: Capo Slea, sulla punta della penisola di Dingle, si protende verso le isole Blasket, disabitate dal 1953.*

Dingle

Dingle era una volta il porto principale del Kerry e ancor oggi un'intensa attività di pescherecci affolla il piccolo porto. Alcuni di essi portano i turisti a vedere l'attrazione marina di Dingle, un simpatico delfino chiamato *Fungi* che ama balzare fuori dall'acqua per salutare chi va a trovarlo. Ovunque su questa penisola si trovano siti archeologici, monasteri, croci celtiche e ruderi, mentre nell'interessantissimo libro di Thomas O'Crohan *The Islandman* (L'Isolano) e nei terribili ricordi dell'isolana Peig Sayers sono ben documentate la povertà e la dura vita della gente del luogo e degli isolani delle **Blasket Islands**, appena fuori **Capo Slea**, nei primi anni del XX secolo. Le isole furono abbandonate nel 1953.

Dingle è per la maggior parte una zona *Gaeltacht*, dove si parla cioè irlandese, una delle poche zone rurali dell'Irlanda dove l'antica lingua gaelica non è estinta. Insieme alla lingua, sono qui vive la musica e le danze irlandesi, eseguite abitualmente in tutti i pub tutte le sere.

Sopra: *la spiaggia di Inch, una striscia sabbiosa lunga cinque chilometri al riparo delle dune. Sotto: il Passo Conor sale dalla città di Dingle fino a 305 m sul lato nord della penisola.*

Inch

A **Inch** una striscia sabbiosa di cinque chilometri, addossata a delle dune, si protende fin quasi a metà della parte superiore della **Baia di Dingle**. Esposte ai venti e in continua mutazione seguendo i cambi di direzione di questi, le dune sono l'habitat di colonie di piante rare che per sopravvivere si sono dovute adattare alle loro condizioni. Alcune distendono le loro foglie solo quando piove, ad altre occorrono fino a tredici anni per fiorire e inseminare di nuovo.

Le dune sono tenute insieme da ciuffi d'erba arenicola dalle profonde radici, mentre l'agrifoglio marino, con le sue foglie spesse e spinose e fiori azzurrini, attira le farfalle. In quest'area si trovano trifoglio a zampa d'uccello, trifoglio comune, gialle viole del pensiero di mare, veccie e perfino la rara e protetta orchidea. C'è anche un'importante rappresentanza faunistica, con il piviere dall'anello, che viene a mangiare le pulci di mare, la sula tuffatrice, gabbiani e marangoni che riempiono la battigia.

Passo Conor

La strada che va dalla Brandon Mountain alla Stradbally Mountain avanza serpeggiando sul fianco di una scarpata fino ai 305 m del **Passo Conor**, che collega **Dingle** alla parte nord della penisola, offrendo una veduta da non perdere.

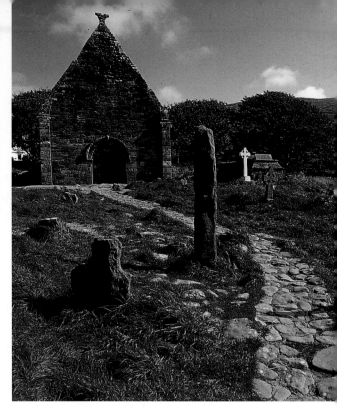

Chiesa di Kilmalkedar

È una bella chiesa romanica costruita sul luogo di una precedente chiesa dedicata a St Mael Cathair, nipote del re dell'Ulster, che morì qui nel 636. La **chiesa** aveva un tetto a capanna in pietre aggettanti, forse ispirato alla **Cappella di Cormac** sulla **Rocca di Cashel**, e consiste di una **navata** e di un **coro**. All'interno si trova una **pietra** su cui è inciso l'alfabeto latino, un lascito dei primi insediamenti cristiani che avevano scuole dove si insegnava ai bambini a leggere e a scrivere. Questa pietra era famosa per le sue proprietà taumaturgiche, una credenza sopravvissuta fino agli anni '70. La **finestra orientale** è conosciuta come "*cró na snáthaide*", cioè "cruna dell'ago" e si suppone che i pellegrini passassero a forza attraverso quel pertugio per salvarsi l'anima. Nel camposanto c'è una primitiva **meridiana** scolpita, mentre nelle vicinanze si trova la **casa di St Brendan**, probabilmente l'abitazione di un sacerdote.

Il forte di Dunbeg

La maggior parte di questo **forte** costruito su un promontorio nell'VIII o nel IX secolo è precipitata in mare, ma ciò che rimane è impressionante. Quattro bastioni difensivi circondano delle mura in pietra e il passaggio d'entrata ha una segreta a livello del terreno. All'interno si trovano i resti di una **casa** e di una "**beehive hut**" (una costruzione in pietra a pianta circolare). Un **passaggio sotterraneo** conduce da qui alle strutture difensive esterne.

L'oratorio di Gallarus

Tra i circa venti oratori del genere presenti in Irlanda, l'esempio più rappresentativo è l'**oratorio di Gallarus**, ritenuto del IX o del X secolo. Mostra la transizione tra la struttura circolare come quella di **Dunbeg** e le successive chiese rettangolari.

LIMERICK

La città di **Limerick** sta a guardia dell'imbocco dell'estuario dello Shannon con il bel **castello di Re Giovanni**, duecentesco. Fondata dai Vichinghi, Limerick cadde in mano agli Irlandesi guidati dal Gran Re Brian Boru nel X secolo, e divenne il quartier generale del clan O'Brien. A seguire vennero i Normanni, che fortificarono la città, e finché nel 1651 le armate di Oliver Cromwell non conquistarono il castello regnò una relativa pace. Quarant'anni dopo, quando nel 1690 il re cattolico Giacomo II fu sconfitto nella decisiva battaglia sul fiume Boyne, molti dei suoi sostenitori si arresero. Ma Limerick continuò la lotta sotto il comando dell'eroe nazionale Patrick Sarsfield. Un anno dopo la città non era più in grado di resistere e fu firmato il Trattato di Limerck, che concedeva ai cattolici solo diritti minimi. Secondo le leggende, "prima che l'inchiostro si fosse asciugato" gli Inglesi ruppero i patti e emanarono leggi dal contenuto estremamente anti-cattolico. Da allora Limerick ha la reputazione di città fortemente patriottica.

Castello di Re Giovanni

Completato nel 1202, è un castello pentagonale rinforzato da quattro possenti torri, una delle quali fu sostituita da un bastione nel 1611. Attualmente ospita un **centro** sulla storia di Limerick.

Lough Gur

Intorno alle rive del **Lough Gur**, un lago a ferro di cavallo, sono stati ritrovati molti resti preistorici, tra i quali fortificazioni e capanne, uno scudo in bronzo finemente lavorato, del 700 a.C. e una tomba a corridoio. Ma più spettacolari di tutto sono i giganteschi **monoliti** disposti in un cerchio quasi perfetto. Poco si sa circa il loro uso, ma si ritiene che fosse sicuramente rituale.

Adare

Fino ai primi dell'Ottocento il villaggio di **Adare** era poco più di una miserabile baraccopoli. Poi il terzo conte di Dunraven, signore del castello di Adare, oggi un hotel, dette il via a ogni tipo di migliorie dell'ambiente rurale, comprese le stradine dai caratteristici cottage con i tetti in paglia che ancora sopravvivono.

Pagina accanto, in alto a sinistra: *il panorama della Great Blasket Island da Capo Slea. A destra: la chiesa di Kilmalkedar, in cui si trovano pregevoli sculture e che aveva una volta un tetto in pietre sovrapposte a secco.*
Al centro: il forte costiero di Dunbeg con quattro bastioni difensivi a circondare le sue mura di pietra. Sotto: l'oratorio di Gallarus, l'esempio meglio conservato di questi edifici di pietra.

In questa pagina: *il castello di Re Giovanni, costruito dai Normanni nel 1202, fa da sentinella all'ingresso al fiume Shannon. Al centro: il grande cerchio megalitico nell'insediamento dell'Età della Pietra presso il Lough Gur Sotto: file di graziosi cottage dal tetto di paglia nel paese di Adare.*

IRLANDA CENTRO-OCCIDENTALE

CLARE

Le aride distese calcaree del **Burren** nel nord del **Clare** attraggono in questa contea molti botanici, ma c'è molto di più da ammirare: le spettacolari **scogliere di Moher**, le splendide spiagge dorate di **Fanore**, **Ballyvaughan** e **Lahinch**, e soprattutto, in paesi come **Doolin** e **Milltown Malbay**, la musica e le canzoni tradizionali migliori del paese.

Castello di Bunratty

Costruito nel 1460 dal clan MacNamara, il **castello di Bunratty** sorge su quella che era una volta un'isola sulla riva nord dello Shannon. Come per molte costruzioni fortificate in Irlanda, Vichinghi e Normanni avevano in precedenza costruito sul luogo delle strutture difensive: il fossato vichingo è ancora visibile, mentre i Normanni costruirono il primo castello sull'isola. Recentemente restaurata, la possente fortezza rettangolare ospita una collezione di mobili, arazzi e dipinti che vanno dal Trecento al Seicento. Il castello è ora usato per banchetti in stile medievale ed è circondato dal **Bunratty Folk Park**, una ricostruzione di un villaggio del XIX secolo.

Le scogliere di Moher

Queste spettacolose scogliere di arenaria e scisti a picco sul mare corrono per otto chilometri e si ergono sul mare fino a un'altezza di duecento metri. L'urto continuo delle onde tempestose dell'Atlantico ha eroso la roccia tenera lasciando in vari punti guglie di roccia più dura, isolate in mezzo al mare.

In questa pagina, sopra: *il castello di Bunratty, sul fiume Shannon*. Sotto, a sinistra: *la Sala Grande*; a destra: *la cappella privata*.

Alla pagina accanto: *le tormentate scogliere di Moher, nel Clare del nord*.

In questa pagina: *il dolmen di Poulnabrone, al centro della zona calcarea del Burren*.

Alla pagina accanto: *la zona nord-ovest del Clare ha delle magnifiche spiagge e i turisti possono affittare un cottage tradizionale nella località marina. Al centro: Lisdoonvarna è piena di pub come il Matchmaker Bar (Bar del Sensale) dove ogni settembre scapoli e zitelle prendono parte al festival del sensale di matrimoni, mentre in tutta la zona pub come quello di O'Connor, a Doolin (sotto), garantiscono musica tradizionale ogni sera della settimana.*

Il Burren

Il **Burren** è un tavoliere ampio 260 chilometri quadrati di calcare poroso formatosi sotto il mare, portato in superficie da movimenti tettonici e fratturato dai ghiacciai. È un paesaggio straordinario, brullo e arido nei mesi invernali, ma che sotto il sole estivo diviene di una lucentezza accecante e contiene, a un più attento esame, una ricchissima vita animale e vegetale.

L'acqua piovana filtra attraverso la roccia porosa scavando grotte e gallerie sotterranee, mentre dopo gli acquazzoni compaiono dei laghi temporanei detti *turloughs*, che scompaiono non appena assorbiti dalla falda acquifera.

La superficie del tavoliere calcareo è stata erosa in solchi e cavità assumendo una morfologia detta a *clint* (gli affioramenti rocciosi) e *grikes* (i solchi che li dividono). Al riparo di queste fenditure, alimentati dai corsi d'acqua sotterranei, germogliano fiori rari in abbondanza, tra i quali genziane e orchidee, che generalmente si trovano nelle regioni mediterranee, alpine e artiche. Questa esplosione floreale è particolarmente accentuata in aprile e maggio, così come l'abbondanza di alcune specie di lumache, orchidee e felci che si trovano solamente qui. Per i naturalisti è un vero paradiso. Come delle varietà mediterranee possano sopravvivere qui è un mistero: la cosa può dipendere dal fatto che il calcare assorbe calore durante l'estate e lo immagazzina in modo da creare durante l'inverno un microclima temperato, o dall'influsso della Corrente del Golfo che giunge all'interno sulle brezze umide che soffiano dal mare.

Il dolmen di Poulnabrone

Sospeso sopra lo strano paesaggio del **Burren** nel nord-ovest del Clare, questo dolmen a portale di insolita eleganza risale, secondo le stime, al 2500 a.C. Gli scavi eseguiti nel 1986 hanno portato alla luce le ossa di sedici adulti e sei bambini, insieme a frammenti di ceramica e manufatti in pietra.

Ballyvaughan

Sulla sponda nord del **Burren**, rivolto verso la **baia di Galway**, si trova Ballyvaughan, un paese di mare molto frequentato dai turisti e da quanti si recano a esplorare le configurazioni calcaree della zona. Qua e là si notano esempi di tradizionali cottage irlandesi, costruzioni a un piano imbiancate a calce, con piccole finestre per difendere chi ci vive dai venti atlantici.

Lisdoonvarna

Per tutto il mese di settembre **Lisdoonvarna** diventa la sede di un festival dei sensali di matrimonio. Ancora negli anni '50 gli agricoltori venivano in paese dopo il raccolto in cerca di svago e distrazione e, se capitava, di moglie. Nelle aree rurali, i matrimoni combinati erano comuni fino a non molto tempo fa, con il sensale che presentava la coppia e negoziava un accordo sulla dote. La tradizione è alquanto cambiata, ma Lisdoonvarna in settembre è sempre affollata di agitati agricoltori e ritrose signorine che sperano di incontrarsi. Il festival è nato dalla popolarità della città come stazione termale, dalle acque ricche di minerali, dove si può ancora prendere un bagno nelle acque sulfuree, bere alle fonti, o fare una sauna e massaggio.

Doolin

Il diritto alla notorietà viene a **Doolin** dall'essere il cuore della musica irlandese. D'estate i suoi pub sono gremiti di musicisti e di cantanti che insieme improvvisano musica nelle cosiddette "sessions". Chi si mette a suonare e quello che si suona dipende dalla serata, dall'atmosfera e dalla gente presente.
A chi non è pratico, la "session" sembra caotica, ma in realtà sono previste regole e una sorta di galateo, e i musicisti ospiti devono attendere di essere invitati prima di prendere posto. La maggior parte della musica strumentale è musica da ballo, ed è impossibile rimanere seduti durante una buona "session".

Il molo di Doolin

La costa intorno a **Doolin** con i lastroni calcarei del Burren che si gettano in mare, è spoglia e battuta dai venti. Dal molo del paese salpano imbarcazioni dirette alle tre **isole Aran**, dove si parla ancora gaelico.

Le grotte di Aillwee

Alla luce dell'illuminazione sotterranea, stalagmiti e stalattiti gettano ombre inquietanti nelle **grotte di Aillwee**, nel **Burren**. Queste e altre stupefacenti formazioni rocciose nelle numerose grotte sono prodotte dall'acqua che penetra sgocciolando attraverso il poroso tavoliere calcareo del Burren.

Alla pagina accanto: *le fantasmagoriche stalagmiti e stalattiti delle grotte di Aillwee.*

In questa pagina: *a Doolin, sulla costa nord-occidentale del Clare, le onde dell'Atlantico si frangono sulla riva inospitale* (sopra), *mentre il tavoliere calcareo del Burren* (sotto) *termina repentinamente al bordo del mare.*

La provincia occidentale del **Con-naught** è costituita dalla vivace città di **Galway**, con un circondario di acquitrini che prosegue nel **Mayo**. C'è la vallata di **Roscommon** e la scabra bellezza di **Sligo**, famosa per essere la terra di Yeats, insieme alla zona lacustre di **Leitrim**.

GALWAY

La città di **Galway** è piena di fascino. È la capitale del *Gaeltacht*, ossia la regione dove si parla gaelico, ma è anche una prospera città industriale, un nodo commerciale e un importantissimo centro per le arti: la produzione di film e allestimenti teatrali brilla per quantità e qualità, cosa questa che richiama nella zona molti artisti. Negli ultimi anni si è avuta un'espansione rapida e incontrollata, e la popolazione è aumentata vertiginosamente, rendendo Galway la città con il più alto tasso di crescita d'Europa. È anche famosa come città alternativa dell'Irlanda, e le sue vie sono piene di musicisti di strada, mangiatori di fuoco, venditori di gioielli e bancarelle di artigiani. La città accoglie un gran numero di giovani che vengono per studiare nella locale università, e in estate, con il Galway Arts Festival e le Corse, si anima particolarmente. La posizione di Galway, alla foce del fiume omonimo e punto di attraversamento del Corrib, la via d'acqua che unisce al mare il Corrib Lough, ne ha fatto un importante centro di commerci sin dai suoi primordi. Nel XIII secolo la famiglia anglo-normanna dei de Burgo si impossessò della città che divenne una potente colonia normanna dominata da quattordici famiglie, ed è per questo che venne poi chiamata la "Città delle tribù". Nel Quattrocento e nel Seicento, mentre gran parte dell'Irlanda era in costante ribellione contro la corona inglese, Galway le rimase fedele. La sua lealtà alla corona fu tuttavia la sua rovina quando Cromwell prese il potere e nel 1652 le sue armate assediarono la città per novanta giorni. L'Irlanda occidentale fu inoltre colpita in maniera particolarmente dura dalla carestia del 1840, e Galway ha iniziato a riprendersi dalla depressione economica e dallo spopolamento solo nel corso del XX secolo.

Alla pagina accanto: *il Castello Lynch appparteneva a una delle quattordici tribù che governarono la città per molti secoli. Sotto: particolari degli stemmi scolpiti nella pietra sulle mura esterne del castello.*

In questa pagina, sopra, a sinistra: *la porta Browne in Eye Square, un frammento rimasto della casa di un ricco mercante. A destra: l'Arco spagnolo, presso il porto. Sotto, a destra: la fila di case a schiera affacciate sulla calata del porto guarda l'antico quartiere di Claddagh al di là del fiume.*

L'Arco spagnolo

Nelle vicinanze del porto, il cinquecentesco **Arco spagnolo** è stato oggetto di molte storie fantasiose, ma è probabile che servisse a proteggere lo scarico dai galeoni dei loro preziosi carichi di rum e vino. Attaccati all'arco ci sono segmenti delle originali mura medievali della città.

Long walk

Attraverso l'Arco spagnolo si imbocca una strada lungo la foce del fiume. Qui amano venire a nutrirsi i cigni e vi si incontrano spesso i Galway Hooker, le tradizionali barche da pesca della zona, con le loro caratteristiche vele color ruggine, mentre quello che era una volta il quartiere dei pescatori, il Claddagh, è in gran parte scomparso sotto moderni appartamenti e case popolari degli anni '30. Una volta questa zona aveva il suo proprio re, un abbigliamento caratteristico e vi si parlava gaelico. Tutto quello che rimane è il nome e il famoso anello di Claddagh, la vera nuziale usata dalla gente della zona il cui uso documentato risale al 1784.

Il Castello Lynch

La casa-torre dei primi del Cinquecento – oggi una banca – che si trova all'angolo della frequentatissima **Shop Street** appparteneva una volta alla potentissima famiglia dei Lynch. All'esterno si possono vedere doccioni irlandesi e gli stemmi di Enrico VII e dei Fitzgerald di Kildare.

Porta Browne

I commerci con il continente facevano una volta di Galway la città più ricca dell'Irlanda e vestigia di quei tempi rimangono nelle belle residenze cittadine e nei castelli superstiti.
La **Porta Browne**, sul lato nord di **Eyre Square**, è uno di quegli sparsi frammenti: risalente al 1627, espone gli stemmi di due potenti famiglie di Galway, i Lynch e i Browne.

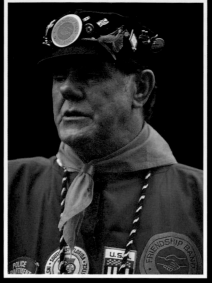

Il Festival internazionale delle ostriche di Galway

Per gran parte del mese di settembre, Galway si dedica alla regina dei frutti di mare, l'ostrica della baia di Galway. La città è piena zeppa di gruppi musicali, danzatori tradizionali, venditori di ostriche e mangiatori di ostriche, che le consumano all'irlandese, accompagnate da pinte di cremosa Guinness. Ma soprattutto c'è *craic*, che in irlandese significa gran divertimento.

La Fiera di ottobre di Ballinasloe

I cavalli sono i protagonisti di questa antica fiera che si tiene la prima settimana di ottobre. Vengono commercianti da ogni parte dell'Irlanda e dell'Inghilterra per comprare e vendere, e le trattative sono una faccenda seria, che richiede molto tempo ed è preferibilmente tenuta di fronte a un pubblico che sa ben valutare l'abilità dei partecipanti.

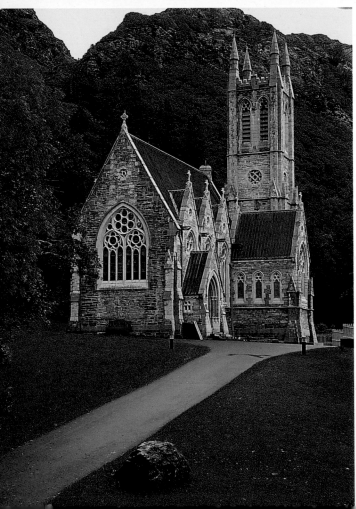

Sopra: *il profilo neogotico dell'abbazia di Kylemore.*
Sotto: *dopo una breve passeggiata tra i boschi si giunge alla chiesa del convento.*

Clifden

Desta alquanto sorpresa che il capoluogo del **Connemara**, quella zona dai vaghi contorni ma bellissima a ovest e a nord di Galway, sia il paesino di **Clifden**. Alle spalle di Clifden si ergono i monti chiamati **Twelve Bens** (Dodici Picchi), mentre davanti al paese il fiume **Owenglin** si getta in mare con un ampio estuario. Gran parte del territorio del Connemara è protetto in un parco nazionale e vi si ammirano, praticamente incontaminati, chilometri di acquitrini dai morbidi toni bruni, interrotti da laghetti o dai quali spuntano i monti **Maam Turk** e i Twelve Bens.

L'abbazia di Kylemore

Appena a est di Letterfrack, nel Connemara, c'è l'**abbazia di Kylemore**, un "castello" ottocentesco, costruito da un commerciante di Liverpool, le cui guglie e torrette in stile gotico gettano ombre fantastiche sulle acque del Pollacappul Lough. Dopo la Prima Guerra Mondiale vi fu installato un convento di suore benedettine e organizzata una scuola. È una località incredibilmente verde, una valle lussureggiante i cui fianchi coperti di rododendri e di una fitta foresta convergono verso la chiesa dell'abbazia, una copia in miniatura della cattedrale di Norwich.

Lough Corrib

Questo grande lago punteggiato di isole divide la contea di Galway in due parti, una settentrionale e una meridionale. All'interno la terra è fertile e intensamente coltivata, mentre a ovest, sulla costa, si incontra l'incontaminato paesaggio del Connemara, la cui bellezza selvaggia e composta sembra non dare spazio a null'altro che roccia e acqua. Sul **Lough Corrib** vi sono 365 isole, una delle quali, **Inchagoill**, contiene il monumento cristiano più antico dopo le catacombe di Roma.

Il castello di Dunguaire

Su una sottile striscia di terra sporgente entro la **baia di Kinvara** sorge il **castello di Dunguaire**, in realtà una casa-torre fortificata, comune in queste zone, risalente al Cinquecento. Il castello deve il suo nome a Guaire Aidhneach, re del Connaught del VII secolo, che qui aveva la sua reggia. L'ospitalità di Guaire era proverbiale: un bardo racconta come 350 ospiti con 350 servitori e i loro cani furono munificamente ospitati per sedici mesi. Oggi la tradizione continua con la Shannon Heritage Organisation, che organizza banchetti medievali nella torre restaurata.

L'abbazia di Ross Errilly

L'**abbazia di Ross Errilly**, sulle sponde del **Lough Corrib**, è uno dei monasteri francescani meglio conservati e più rifiniti. Fu fondata nel 1351, ma la maggior parte degli edifici risale al secolo successivo, ed è facile immaginare l'aspetto che dovevano aver avuto. La **chiesa**, con la sua **torre** merlata, ha finestre ben conservate che mostrano uno spaccato degli stili in uso nel Quattrocento. Ci sono due chiostri, uno dei quali colonnato che si conclude nella **panetteria**, mentre le **cucine**, nell'angolo nordovest dell'edificio, hanno una cisterna per i pesci e un forno che sporge nel **molino** dietro di esse.

Sopra: *l'ampia distesa del Lough Corrib è popolata da molte isole. Al centro: il castello di Dunguaire, uno splendido esempio di torre fortificata. Sotto: l'abbazia di Ross Errilly, la più grande abbazia francescana dell'Irlanda.*

LE ISOLE ARAN

Appena fuori della **baia di Galway**, a poche miglia da **Doolin** o da **Carraroe**, da dove le si possono raggiungere in battello, si trovano tre affioramenti rocciosi: **Inishmore**, l'isola più grande e più visitata, l'incontaminata **Inishmaan**, e la più piccola delle tre, **Inisheer**.

Inishmore

In tutte le isole Aran si parla gaelico, e molti bambini irlandesi trascorrono qui le vacanze estive per migliorare la loro pronuncia e assaporare la vita in una comunità *Gaeltacht*. **Inishmore** è la più grande delle isole e in estate è gremita di turisti, ma è sempre semplice uscire dalla calca e andare a visitare, a piedi o in bicicletta, le sette antiche **chiese**. Bisogna infatti sapere che **Inishmore** è il luogo dove è sorto il primo è più importante **monastero** d'Irlanda.

L'isola è una lunga lastra calcarea, simile alla formazione del Burren, nel Clare, in leggero pendio sul lato sudovest, dove raggiunge i 90 m. La maggior parte dei villaggi è comunque raggruppata sul lato opposto dell'isola.

Dun Aenghus

Questo massiccio castelliere risale a un periodo compreso tra il 700 a.C. e il 100 d.C. Sospeso su uno sperone a 60 m d'altezza a strapiombo sul mare, il **Dun Aenghus** sembra avere delle parti che hanno già spiccato il balzo. La fortificazione consta di tre file di bastioni semicircolari, il più interno dei quali ha camminamenti e nicchie, con un'entrata sormontata da un architrave piatto. Nella zona che sale verso il forte ci sono migliaia di ostacoli in pietra che, come cavalli di Frisia, fungevano da deterrente contro chiunque tentasse di dare l'assalto alle mura.

Sopra: i maglioni di Aran, ogni famiglia indossa un disegno diverso. Sotto, a sinistra: Dun Aenghus, *sospeso a 60 m al di sopra dei flutti. A destra: il tranquillo porto di Kilronan, sulla parte settentrionale dell'isola.*

IRLANDA NORD-OCCIDENTALE

MAYO

Il **Mayo** si stende dai laghi punteggiati di isole di **Lough Mask** e **Lough Corrib** a sud alla punta nord-occidentale di **Belmullet** e dall'**isola di Achill** a ovest alle **Ox Mountains** di **Sligo** e **Roscommon** a est. Vicino a **Westport**, un'elegante città georgiana, si staglia contro il cielo la **Croagh Patrick**, una montagna dedicata a San Patrizio, meta di pellegrinaggi. Ogni anno migliaia di pellegrini si inerpicano a piedi nudi fino alla cappella posta sulla vetta.

Nel 1798 il generale francese Humbert sbarcò a **Kilkummin Strand**, nella parte nord del Mayo, con un migliaio di soldati, prendendo **Killala** e **Ballina** e marciando vittorioso su **Castlebar**, che conquistò. Fu alla fine sconfitto nella contea di Longford, e tutti quelli sospettati di aver dato aiuto al francesi vennero messi a morte. Il Mayo fu pesantemente colpito dalla Grande Carestia del 1845-49, e molti furono i morti o quelli che emigrarono in America imbarcandosi sulle "bare galleggianti", lasciando la terra spopolata e abbandonando i loro poderi, di cui rimangono ora i ruderi.

Sopra: *una bella residenza cittadina a Cong.*
Sotto: *le rovine dell'abbazia di Cong.*

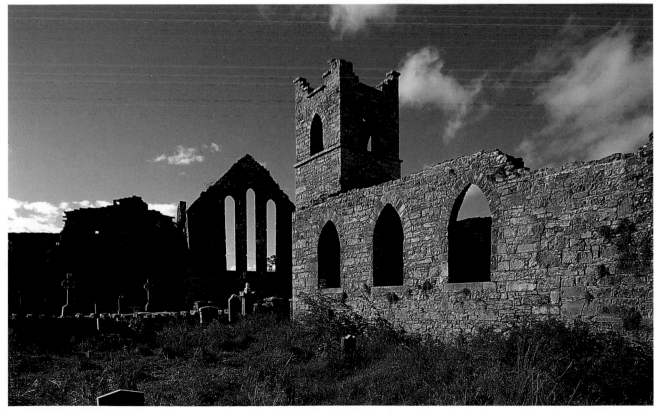

L'abbazia di Cong

La città di **Cong** sorge su uno stretto istmo che separa il **Lough Mask** dal **Lough Corrib.** In origine un monastero fondato da St Feichin nel VII secolo, Cong divenne la sede dei re del Connaught. Nel 1128 Turlough Mór O'Connor, re del Connaught, ricostruì Cong facendone un'abbazia per gli agostiniani, e suo figlio Ruaidhrí O'Connor, ultimo Gran Re d'Irlanda, trascorse qui i suoi ultimi anni. Rimane solo il **presbiterio** della chiesa, con parte del lato orentale e una sezione del **chiostro,** ma queste poche vestigia mantengono porte e finestre dagli squisiti dettagli in pietra.

Alla pagina accanto: il fiume Boyle attraversa placido la città. Al centro e sotto: scorci del monastero cistercense di Boyle.

In questa pagina, sopra: *particolare di una finestra nell'antica abbazia di Cong.* Sotto, a sinistra: *resti di un portale romanico e del chiostro, entrambi del XII secolo.*
A destra: *ora in rovina, l'abbazia fu costruita per l'ordine agostiniano da Turlough Mór O'Connor, Gran Re d'Irlanda del XII secolo.*

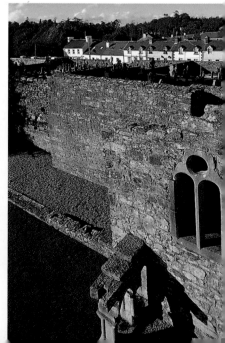

ROSCOMMON

Questa lunga striscia di terra il cui fianco orientale è delimitato dal fiume Shannon è la sola contea del Connaught non bagnata dal mare. Al suo centro si trova la città di **Roscommon** con i resti del **castello di Roscommon**, anglo-normanno. A est **Strokestown**, il cui viale principale termina con la **Strokestown House** e il **Museo della Carestia**.

Boyle

Questa graziosa cittadina del Roscommon settentrionale sorge sulle rive del **fiume Boyle**. Nel centro della città si trova la **King House**, un'elegante magione costruita nel 1730 per la famiglia King, che in seguito si trasferì nella superba **Rockingham**, una residenza di campagna appena fuori Boyle. Rockingham fu distrutta da un incendio negli anni '50 e i suoi terreni fanno ora parte del **Lough Key Forest Park**. Boyle contiene anche i resti di un'antica abbazia cistercense fondata nel 1161 dai monaci dell'abbazia di Mellifont. I ruderi della navata mostrano due diversi stili architettonici: su un lato vi sono le linee curve delle finestre romaniche ad arco, sull'altro quelle ogivali del successivo periodo gotico. Alcune delle finestre hanno anche capitelli con foglie e figure. La **torre** risale al XII secolo, così come due portali murati sulla fiancata orientale. Gli altri edifici risalgono al Cinque e al Seicento, e furono gravemente danneggiati quando le armate di Cromwell occuparono il monastero nel 1659.

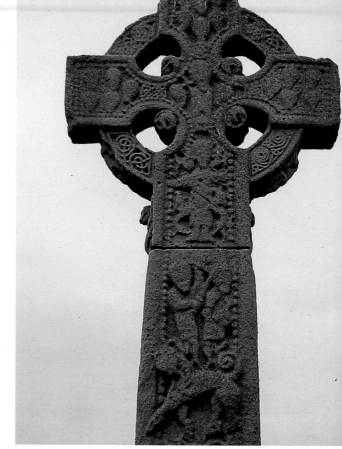

Sopra, a sinistra: *il monte Benbulben, che gran parte ha nelle leggende irlandesi e nella poetica di W. B. Yeats.* A destra: *la croce votiva di Drumcliff, dove è sepolto il poeta W. B. Yeats.* Sotto: *il cerchio megalitico di Carrowmore con sullo sfondo Knocknarea, il sito sepolcrale della regina Maeve.*

SLIGO

In pochi luoghi in Irlanda si possono contare tanti siti megalitici per chilometro quadrato come a Sligo. Associati a questi antichi monumenti, come **Carrowkeel**, **Knocknarea** e **Carrowmorekeel** vi sono molti miti. La singolarità di questo paesaggio disabitato fu d'ispirazione tanto al poeta William Butler Yeats che a suo fratello, il pittore Jack Yeats.

Benbulben

Questa montagna, anomala per la morfologia della zona, si erge per 610 m al di sopra di un altopiano da cui a perdita d'occhio si domina la campagna circostante. Qui, secondo la leggenda, il bel Diarmuid, che era fuggito con Gráinne, incontrò la sua fine. Per sedici anni la coppia era stata inseguita per tutta l'Irlanda dall'anziano e vendicativo Finn mac Cumhaile, capo di un gruppo di guerrieri chiamato Fianna nonché l'uomo che avrebbe dovuto sposare Gráinne. Mentre cacciava sul **Benbulben**, Finn indusse con l'inganno Diarmuid a combattere contro un cinghiale incantato. Diarmuid fu ferito mortalmente e Finn, che aveva i poteri magici per guarirlo, si rifiutò di farlo. Anzi, gli tagliò la testa e la inviò a Gráinne, che al vederla morì. Fu portata alle grotte di **Gleniff** e sepolta accanto a Diarmuid.

Carrowmore

Carrowmore è stata un tempo la più grande necropoli megalitica d'Irlanda, costituita da tombe a tumulo o dolmen. Oggi, a causa dell'attività delle cave nelle vicinanze, molte pietre sono andate perdute o sono state spostate.

Drumcliff

"Sotto la testa nuda di Ben Bulben" si trova **Drumcliff**, dove, nel suo amato Sligo "terra del desiderio del cuore", è sepolto William Butler Yeats. Sebbene fosse cresciuto principalmente a Dublino e Londra, ma essendo sua madre originaria di queste parti, egli trascorse qui lunghi periodi, girovagando per la campagna, ascoltando le storie di pescatori e contadini, e facendo visite a **Lissadell**, l'elegante casa georgiana della bella Constance Gore-Booth, poi contessa Markievicz, la rivoluzionaria irlandese e prima donna deputato a Westminster. La poesia di Yeats è costellata di riferimenti a questi paesaggi, e le sue opere teatrali *At the Hawk's Well* e *On Beltra Strand*, dove si mette in scena il mito di Cúchulainn, sono ambientate qui.

LEITRIM

La **contea di Leitrim**, divisa esattamente in due dal **Lough Allen**, è fatta più d'acqua che di terra, con laghi e fiumi frammisti a collinette di detriti lasciati dalle glaciazioni.

Carrick-on-Shannon

A **Carrick-on-Shannon**, una graziosa cittadina sulle rive del fiume Shannon, andare in barca è, non sorprendentemente, l'attività preferita. Da qui partono i battelli per le crociere lungo lo **Shannon-Erne**: 385 chilometri di canali, fiumi e laghi.

Il castello Parke

Sulle rive dell'altro lago del Leitrim, il **Lough Gill**, si trova la fortezza seicentesca costruita da Robert Parke. Nel **cortile** si trovano le fondamenta di una precedente casatorre appartenuta al capo clan Brian O'Rourke, messo a morte per aver tratto in salvo un naufrago superstite dell'Armada spagnola. Le pietre della casa di O'Rourke sono state riusate nella costruzione del **castello Parke**.

Sopra: Carrick-on-Shannon, una graziosa località dedicata alla nautica. Sotto: il castello Parke, sulle rive del Lough Gill.

L'antica provincia dell'Ulster comprende la verdeggiante zona dei laghi del **Fermanagh** e del **Cavan**, il duro ambiente acquitrinoso del **Donegal**, l'antica città di **Derry**, **Antrim**, con la sua strana formazione geologica detta **Giant's Causeway** (Strada del Gigante), **Belfast**, capitale dell'Irlanda del Nord, le montagne del **Mourne**, nel **Down**, la città ecclesiastica di **Armagh**, le morbide ondulazioni delle colline del **Tyrone** e le collinette del **Monaghan**.

FERMANAGH

La contea di **Fermanagh** è dominata dal **Lough Erne**, lungo 80 chilometri, che si stringe in una strozzatura presso la città di **Enniskillen** ed è punteggiato da isole boschive – una volta una catena di monasteri – e da monumenti celtici e cristiani.

Enniskillen

A un'estremità della lunga strada principale di **Enniskillen** si trova il castello, una volta fortezza dei Maguire, all'altra si trova il parco vittoriano, **Fork Hill**, con la sua colonna dorica. Il forte dei Maguire, conquistato dagli inglesi nel 1607, fu ridisegnato e ribattezzato "**castello di Enniskillen**". Resisté agli attacchi dei Maguire e delle forze fedeli al re Giacomo II, e nel XVIII secolo divenne alla fine una caserma. La fortezza ospita lo **Heritage Centre** e il **Regimental Museum**.

Sopra: *Enniskillen, sede di guarnigione su una striscia di terra tra due laghi*. Sotto, a sinistra: *il quattrocentesco castello di Enniskillen, costruito in stile scozzese*. A destra: *un'effigie in pietra di Giano, risalente all'era pagana, sull'isola di Boa*.

Sopra: *il fiorente porto di Killybegs.* Al centro: *la spiaggia di Trabane, a Malin Beg.* Sotto: *l'inospitale costa di Bloody Foreland.*

L'isola di Boa

Alcune delle isole che costellano il **Lough Erne** sono in realtà *crannógs*, antiche strutture fatte dall'uomo in mezzo all'acqua per essere al riparo dagli attacchi. La loro presenza qui, unita ai molti siti pagani e cristiani sparsi un po' ovunque, indica la zona come una delle prime aree di insediamento. Sull'**isola di Boa**, nel **cimitero di Caldragh**, ormai invaso dalle erbacce, in mezzo a pietre tombali paleocristiane si trova, accanto a una che rappresenta "*l'uomo di Lustybeg*", una figura scolpita di *Giano* risalente ai tempi pagani, segno evidente che in quest'area isolata le credenze pagane vivevano accanto a quelle cristiane.

DONEGAL

Come le aree più impervie del Kerry e dell'Irlanda occidentale, il **Donegal** conserva forte il senso della sua cultura, e chi si rechi nelle zone *Gaeltacht* attorno a **Glencolmcille** e **Bunbeg** vi troverà una delle più belle musiche tradizionali. Il Donegal però è anche una zona di meravigliosa bellezza, con scoscese montagne come l'**Errigal**, e alte brughiere, laghi paludosi e ampie distese di spiaggia sabbiosa.

In questa e nella pagina accanto: *vedute dell'impressionante Grianán of Aileach, costruito nel 1500 a.C. e usato fino al XII secolo.*

Killybegs

La ragione di vita di questa piccola cittadina riparata all'interno della baia di **Killybegs** è la pesca. **Killybegs** è il porto più prospero del paese, e i suoi pub e caffè sono affollati di pescatori provenienti da ogni parte della costa, specialmente in luglio, quando a loro, in occasione di un festival di due settimane, si uniscono i pescatori per diporto. Alla sera la flottiglia scarica il pescato sulle banchine e gli abitanti arrivano a frotte per pescare un'ottima cena a buon prezzo.

Malin Beg

Una delle più piacevoli tra le spiagge dorate del Donegal, scavata in un'insenatura rocciosa, **Malin Beg** ha un piccolo villaggio e si trova nei pressi dell'impressionante scogliera di **Bunglass**, un salto di 610 m al di sopra del livello del mare, lucente di concrezioni minerali.

La penisola di Inishowen

La **penisola di Inishowen**, puntata a nord entro il Mare del Nord, è circondata dall'acqua quasi per intero, avendo a ovest il **Lough Swilly** e a est il **Lough Foyle**. La ricchezza della storia della zona è evidenziata da castelli, monasteri, croci cristiane e lapidi deformate a **Fahan**, **Carndonagh**, **Carrowmore** e **Cooley**, e soprattutto dall'antico forte di **Grianán of Aileach**.

Grianán of Aileach

Costruito sulla striscia di terra tra i due laghi, **Grianán of Aileach** domina sui superbi paesaggi delle contee del nord.
Possente fortificazione in pietra a pianta circolare di 23 m di diametro e mura spesse 4 m, databile al 1500 a.C., viene ritenuta anche sede di un tempio pagano di epoca successiva. Dal V al XII secolo fu dimora reale dei degli O'Neill.
Nel 1101 fu pesantemente danneggiata dagli O'Brien del Munster, per rappresaglia dopo la distruzione della loro fortezza di Kincora nel Clare; ciò che adesso vediamo è frutto degli ampi restauri condotti nell'Ottocento.

TYRONE

La verde campagna ondulata della contea di **Tyrone** è una fertile terra agricola, con le montagne di **Sperrin** nel nord che forniscono agli appassionati validi percorsi per le escursioni e per un *birdwatching* di sicura soddisfazione. Sparsi qua e là si trovano siti archeologici quali il **Cerchio di Pietra di Beaghmore**. Queste e successive tracce degli abitanti della regione possono essere esplorate in due centri: l'**Ulster American Folk Park**, nei dintorni di Omagh, ispirato alla storia dei primi emigranti della zona verso gli Stati Uniti, e l'**Ulster History Park**, vicino a Gortin.

Ulster History Park

In questo parco storico sono ricostruiti e spiegati in dettaglio insediamenti umani che vanno dal 7000 a.C. fino al Seicento, incluso un *crannóg* e un borgo agricolo del XVII secolo.

L'Ulster History Park, nei pressi di Gortin. Sopra: la ricostruzione di un crannóg*, una struttura difensiva che risale al tempo dei Celti. Sotto: la ricostruzione di un insediamento di coloni seicentesco.*

La cattedrale di St Columb, costruita nel 1633, con il campanile di epoca georgiana.

DERRY

Compresa entro possenti mura secentesche, la città vecchia di Derry si inerpica in maniera pittoresca per **Shipquay Street** al **Diamond**, la piazza del mercato, che la domina. Fuori le mura e sulla sponda opposta del fiume Foyle i successivi accrescimenti della città si arrampicano sui versanti delle colline. Derry è l'antica città chiamata *Doire Cholmcille* ("querceto di Colombano"), da Saint Colmcille, o Saint Columb (San Colombano), lo studioso, missionario e discendente di un potente clan del nord che qui fondò un monastero nell'anno 546. L'insediamento controllava un punto strategico alla foce del Foyle e fu ripetutamente attaccato dai Vichinghi e, più tardi, dagli Anglo-Normanni. Questa era la terra dei potenti capo-clan O'Neill e O'Donnell, ma le continue ribellioni contro il dominio inglese condussero nel 1607 alla confisca delle loro terre e alla loro fuga sul continente. Si aprì così la via per la colonizzazione su larga scala dell'Ulster da parte di immigranti inglesi e scozzesi fedeli alla corona, e alle divisioni politiche che ancor oggi esistono. Nel 1613 Derry fu attribuita all'amministrazione municipale di Londra e ribattezzata Londonderry, ma ancora oggi la maggioranza degli Irlandesi, sia del Nord che del Sud, continua a usare il vecchio nome. Nel 1688-89 avvenne l'assedio di Derry, durante il quale le armate di Guglielmo d'Orange si opposero vittoriosamente per quindici settimane a quelle del re cattolico Giacomo II. Nei secoli seguenti si ebbe l'espansione delle filature di lino e crebbe l'importanza di Derry come porto.

Nei passati decenni, Derry venne di nuovo alla ribalta: durante la marcia per i diritti civili nel 1968 i manifestanti furono caricati e manganellati dalla polizia, un evento ritenuto la scintilla che dette inizio a una lunga serie di "Disordini", come ufficialmente vennero definiti; nel 1972 Derry fu teatro della tristemente famosa *Bloody Sunday*, la Domenica di Sangue in cui i paracadutisti inglesi aprirono il fuoco sulla folla uccidendo tredici persone. L'amministrazione di Derry ha tuttavia seguito negli ultimi anni una politica non settaria e Derry è sorprendentemente animata, con una vivace vita artistica e culturale.

St Columb's Cathedral

Durante l'assedio di Derry, questa cattedrale protestante funse da postazione di tiro e torre di guardia. Le condizioni della resa vi furono catapultate mediante una palla di cannone, ora conservata nel portico. Nella **sala capitolare** c'è un piccolo **museo**.

Il Palazzo Civico

Appena fuori della cinta muraria, sulla sponda del fiume Foyle, sorge il Palazzo Civico, che è stato recentemente restaurato. Le sue magnifiche vetrate a mosaico illustrano la storia della città.

Le mura

Costruite nel XVII secolo, le mura di Derry non sono mai state violate, cosa questa che ha dato alla città il soprannome di "città vergine". Inframmezzate da bastioni, dai quali si gode una stupenda vista sul fiume **Foyle**, sulle sue **sponde**, la sua **fonte** e i suoi **acquitrini**, hanno un perimetro di poco meno di 2 chilometri. Entro le mura la città conserva l'urbanistica medievale: una piazza centrale, il **Diamond**, e quattro strade che conducono alle quattro porte principali.

Sopra: *il Palazzo Civico, sul lungofiume.* Sotto: *Ferryquay Gate.*

Sopra: *le strane formazioni della Giant's Causeway, che la fantasia popolare ha battezzato "il Camino" e "l'Arpa". Sotto: la più grande formazione basaltica, nota come "l'organo", per ragioni ovvie, ingannò un vascello dell'Armada spagnola facendole credere che si trattasse del castello di Dunluce, ben oltre lungo la costa dell'Antrim. La conseguenza fu il naufragio della Girona.*

ANTRIM

La contea di **Antrim** attrae più turisti di qualunque altra parte dell'Irlanda del Nord. La grande attrazione è senza dubbio la **Giant's Causeway** ma vi sono anche stupendi panorami lungo la costa dell'Antrim, da **Capo Fair** a **Capo Torr**, lunghe spiagge argentate protette da dune sabbiose nella baia di **White Park**, a **Portstewart** e **Portrush**, e le lussureggianti lunghe e strette valli -*i glen*- e le cascate dell'interno dell'Antrim.

Giant's Causeway

Riesce difficile credere che la **Giant's Causeway** (Strada del Gigante) non sia opera dell'uomo. Molte sono le leggende che spiegano l'origine di queste giganteche formazioni basaltiche. Una versione voleva che fosse stato Finn mac Cumhaill, capo del gruppo di guerrieri noto come Fianna, a costruire la strada perché lo conducesse dalla sua innamorata sull'isola di Staffa, in Scozia, dove esistono formazioni simili. In realtà la causa è molto meno romantica: migliaia di anni fa una gigantesca esplosione sottomarina eruttò basalto fuso che alla fine si raffreddò in questi giganteschi cristalli.

Alla pagina accanto: *la "Sedia Magica", sulla Giant's Causeway.*

In questa pagina, sopra: *il lungo, basso declivio della baia di White Park*. Al centro e sotto: *il castello di Dunluce, piazzaforte del clan dei MacDonnell, pericolosamente vicino al bordo della scogliera dell'Antrim.*

La baia di White Park

Dalla **Giant's Causeway**, seguendo la costa verso ovest, si incontra uno scenario completamente diverso: una lunga curva di sabbia bianca, la **baia di White Park**, protetta da dune coperte d'erba e, posta nel declivio tra due di esse, una chiesetta che si dice sia la più piccola d'Irlanda.

Il castello di Dunluce

Abbarbicato su uno sperone roccioso sporgente sul mare, il **castello di Dunluce** è un enorme rudere. Conquistato dall'intrepido Sorley Boy MacDonnell alla metà del Cinquecento, fu rinforzato con i cannoni della *Girona*, un vascello dell'Armada spagnola naufragato nelle vicinanze, abbellito da un elegante loggiato, unico in Irlanda, e da una residenza gentilizia di cui rimane lo scheletro. Nel 1639 un banchetto fu interrotto dal crollo in mare di parte del castello, che trascinò con sé servitori e vivande. La parete della scogliera al di sotto del castello è forata da enormi caverne e l'urlo delle onde che sbattono contro la roccia durante le tempeste può spiegare la leggenda dello "spettro che spazza il pavimento della torre".

Bushmills, una cittadina da libro di favole, deve la sua fama al whiskey che qui si distilla. Attiva sin dal 1608, la Old Bushmills Distillery è la più antica distilleria legale del mondo. Quanti visitano la Giant's Causeway fanno tradizionalmente qui una sosta per qualche bicchierino. A differenza del whisky scozzese, il malto di Bushmills è distillato tre volte, cosa questa che gli conferisce un gusto più rotondo, ma i visitatori dell'azienda possono decidere da soli, dato che la visita termina con un generoso goccetto.

Ballintoy

Dal margine orientale della baia di **White Park** un sentiero conduce al porticciolo di **Ballintoy**, pieno di pescatori che si lasciano a volte convincere a portare i turisti alle isole, o lungo la costa a vedere il **castello di Dunluce** e la sua caverna, oppure alla **Sheep's Island** (Isola delle Pecore), quello strano grattacielo di roccia un chilometro al largo, sormontato da un tappeto erboso che ospita una colonia di cormorani, oppure ancora a **Carrick-a-rede**, un isolotto roccioso collegato alla terraferma da un ponte sospeso fatto di corde.

Carrick-a-rede

Sul lato sud-ovest dell'isola di **Carrick-a-rede** c'è un vivaio di salmoni, ed è lì da almeno 350 anni. Quest'isolotto si trova proprio sulla rotta del salmone atlantico nel suo viaggio di ritorno verso i fiumi in cui si disperderà: Carrick-a-rede significa appunto "Roccia sulla strada".
In origine, il ponte sospeso scavalcava la fenditura tra l'isola e la costa dell'Antrim da aprile a settembre, per dar modo ai pescatori di accedere all'isola durante la stagione dei salmoni. Una stampa del 1790 già ci mostra l'esistenza di un ponte di corda. Ma al giorno d'oggi sembra che sia più popolare tra i turisti, che si divertono a ondeggiare a picco sul mare lungo i 24 m dell'instabile ponte.

Il ponte di corda di Carrick-a-rede collega un allevamento di salmoni sull'isola rocciosa alla terraferma. Non appena si mette piede sulla passerella lunga 24 metri il ponticello di assi comincia a sobbalzare e a ondeggiare.

Sopra: *Capo Torr, distante appena diciannove chilometri dalla Scozia. Al centro: un'ampia veduta della costa dell'Antrim nei pressi di Capo Runabay. Sotto: il villaggio di Cushendun, nei glen dell'Antrim, tutelato dal National Trust.*

Capo Torr

La **costa dell'Antrim** è spettacolare, si getta nel mare in promontori, si tuffa in baie rocciose, per risalire poi in aspre brughiere tappezzate di erica e felci. Da **Capo Torr** il **Mull of Kintyre**, in **Scozia**, dista appena 19 chilometri, e si dice che fino a non molto tempo fa i protestanti se li facessero a remi per recarsi in chiesa là. Ancora più a ovest, a **Capo Fair**, dove una stradina si inerpica zigzagando su per la frastagliata scogliera alta 183 m, si vedono chiaramente le isole della Scozia al di là dello stretto braccio di mare. Dietro le scogliere vi sono tre laghi, uno dei quali, il **Lough na Cranagh**, contiene un'isola artificiale, un cosiddetto *crannóg*, sul genere di quelli del **Lough Erne**, nel **Fermanagh**. Un altro, chiamato **Lougharenna**, è conosciuto come "il lago evanescente": si riempie e poi scompare nel poroso calcare sottostante.

I "Glen" dell'Antrim

Le nove valli lunghe e strette – *glen* – dell'Antrim sono rinomate per la loro bellezza, nonché per le leggende ad esse collegate. A **Glenaan**, sulle pendici del monte **Tievebulliagh**, dove sono state rinvenute selci scheggiate usate come asce nell'Età della Pietra, c'è la tomba di Ossian (Oisín), il figlio del guerriero Finn mac Cumhaill e massimo poeta celtico. Gli altri *glen* sono **Glentaisie**, **Glenshesk**, **Glendun**, il "glen bruno", **Glenballyeamon**, **Glenariff** con le sue splendide cascate, **Glencloy** e **Glenarm**.

Glenarm

Il più meridionale tra i *glen*, **Glenarm** è la sede dei conti di Antrim, discendenti di Sorley Boy MacDonnell del **castello di Dunluce**. Nel 1603 Randal, il figlio di Sorley Boy, costruì qui un casino di caccia. In seguito questo venne ingrandito fino a divenire un castello che fu ricostruito nel 1817 per includere elementi gotici, Tudor e giacomini, oltre a timpani olandesi.
La cittadina crebbe attorno all'industria estrattiva del calcare e del gesso, che qui vengono imbarcati, ed è fiorente l'allevamento del salmone.

Carnlough

Posto al fondo del **Glencloy**, il paese di **Carnlough** dipendeva una volta per il suo sostentamento dall'esportazione del calcare estratto dalle colline alle sue spalle. Buona parte del villaggio sembra in effetti costruito con questa pietra di un bianco luminoso, perfino il porto ha una torre dell'orologio e un tribunale di calcare. Oggi il porto, completamente rinnovato, è una delle mete preferite della nautica da diporto, dove pescatori per diletto e di mestiere scaricano aragoste e granchi.

Carrickfergus

Il possente castello anglo-normanno di **Carrickfergus** fu iniziato da John de Courcy verso il 1180 per sorvegliare l'ingresso al Belfast Lough. Fu tuttavia presto occupato da Hugh de Lacy, che in buona parte lo costruì così come è oggi. Nel 1315, ormai proprietà della corona, il castello sopportò un anno di assedio, e la guarnigione che vi era intrappolata riuscì a sopravvivere cibandosi anche dei corpi di otto sfortunati prigionieri scozzesi. Dopo molte altre traversie, nel 1690 il castello fu riconquistato alla corona. Oggi, restaurato nelle forme originali, è aperto al pubblico.

Alle pagine seguenti: *la baia di Carnlough, sulla magnifica costa dell'Antrim.*

Sopra e sotto a sinistra: *la lavorazione del salmone a Glenarm. Al centro: il porto di Carnlough. Sotto, a destra: Carrickfergus, sul lato nord del Belfast Lough, un castello che ha avuto diversi proprietari.*

BELFAST

L'odierna Irlanda del Nord, che fa parte del Regno Unito, è formata da sei delle nove contee dell'antica provincia dell'Ulster: Derry, Tyrone, Antrim, Fermanagh, Down e Armagh. Il capoluogo dell'Irlanda del Nord è **Belfast**, che sorge nella valle del fiume **Lagan**, nel punto in cui questo si getta in un ampio *lough* salmastro. A nord e a ovest si ergono la **Black Mountain**, **Cave Hill** e **Divis Mountain**, mentre a sud le Castlereagh Hills declinano dolcemente verso la **contea di Down**. Lo sviluppo di Belfast è stato relativamente tardivo. Nel XVII secolo, grazie ai rifugiati Ugonotti francesi, l'industria del lino, insieme alla cantieristica navale, dette alla città grande prosperità per i secoli a seguire. Meno fortuna ha avuto Belfast nel XX secolo: gran parte della città fu bombardata durante la Seconda Guerra Mondiale, e anche i "Disordini" hanno lasciato il segno, per cui, a parte il centro vittoriano, Belfast è in larga parte una città moderna.

Il Municipio

Il grandioso e compatto rettangolo del Municipio domina il centro di Belfast. Costruito dagli amministratori cittadini nel 1888, quando la regina Vittoria concesse a Belfast la condizione di "city", fu terminato nel 1906 ed è un elegante esempio di fasto vittoriano. Per ironia della sorte, il giovane londinese che progettò questo monumento all'orgoglio cittadino, Alfred Brumwell Thomas, dovette citare in giudizio gli amministratori cittadini per essere pagato. L'edificio si stende lungo un quadrilatero attorno a una corte centrale e ha una cupola alta 52 m che costituisce un punto di riferimento per quanti visitino la città.

In questa pagina, sopra: il Municipio, con la sua cupola alta 52 metri, domina il centro di Belfast.
Sotto: la Grande Scalinata, un monumento all'orgoglio civico.

Donegall Square

Il Municipio è circondato dalla monumentale architettura vittoriana di **Donegall Square**, con il palazzo dello Scottish Provident (il "Parsimonioso Scozzese") in evidenza per i suoi ridondanti lavori in pietra. Un edificio in stile veneziano, una volta un magazzino di lino, è ora occupato dalla Marks & Spencer, e anche la **Linen Hall Library**, la biblioteca pubblica della città, si affaccia su Donegall Square.

Sopra: *il Municipio sorge al centro di Donegall Square, con le sue statue commemorative, circondato da eleganti edifici risalenti al periodo di massimo splendore dell'epoca vittoriana.*

Albert Memorial Clock Tower

Una delle ragioni del lento sviluppo di Belfast fu il suo territorio, per gran parte soggetto a frequenti inondazioni, praticamente un acquitrino, dove gettare le fondamenta delle costruzioni era un vero problema. Nella zona portuale si dovettero conficcare nel substrato roccioso palafitte lunghe da 9 a 12 metri per poter sostenere gli edifici più grandi. La **Albert Memorial Clock Tower**, un "Big Ben" in miniatura che si trova al termine di High Street dal lato del porto, ha sofferto di questa situazione ed è inclinato di lato di oltre un metro. Progettata nel 1867 da W. J. Barre, un esponente del ridondante stile neogotico, la torre dell'orologio espone una statua del principe Alberto, il consorte della regina Vittoria, a cui è dedicata.

A sinistra: uno degli edifici più rappresentativi della città, l'Albert Clock sorge al termine di High Street e commemora il principe Alberto, consorte della regina Vittoria (sotto).

Sopra e al centro: la Queen's University, progettata da Sir Charles Lanyon, si ispira allo stile Tudor. Sotto: la Palm House, nel giardino botanico, uno dei primi e più eleganti esempi di struttura curvilinea in ferro e vetro.

Queen's University

A un'estremità del "**Golden Mile**", il Miglio d'Oro, come è chiamata la distesa di ristoranti e pub che va da **Great Victoria Street** a **Malone Road**, in posizione arretrata rispetto alla strada, sorge la **Queen's University**. Progettata da Sir Charles Lanyon, a cui si devono molti degli edifici pubblici e commerciali di Belfast, e modellata sul Magdalen College di Oxford, presenta una facciata in stile Tudor in mattoni di un bel giallo caldo e risale al 1849.

Il giardino botanico

A due passi dall'università si trova il **giardino botanico**, aperto nel 1827, con molti tranquilli vialetti e roseti. La **Palm House** è una magnifica miscela di superfici vetrate e ghisa, anch'essa progettata da Sir Charles Lanyon e costruita a Dublino nella fonderia di Richard Turner. È piena di rare piante tropicali, alcune delle quali hanno più di cento anni ed è servita da modello per l'omonima Palm House nei giardini di Kew, a Londra. Davanti al giardino si trova l'**Ulster Museum**.

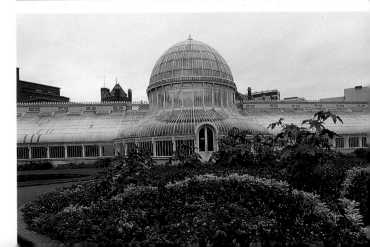

Crown Liquor Saloon

Belfast è famosa per i suoi fantastici pub vittoriani e edoardiani come il **Morning Star** in Pottinger's Entry, l'**Elephant Bar** in Upper North Street, ma il più fantasmagorico è il **Crown Liquor Saloon**, in Great Victoria Street. Costruito nel 1885 da Patrick Flanagan, mostra l'influenza dei suoi viaggi in Spagna e in Italia. Ha vetrate a mosaico, elaborate modanature vittoriane, deliziosi séparé rivestiti di pannelli illuminati da lampade a gas e corredati da una campanella per chiamare il cameriere. Il Crown fu danneggiato dallo scoppio delle molte bombe che hanno colpito l'Hotel Europa, che sta di fronte. Nel 1981 il National Trust, l'ente britannico per la conservazione dei beni architettonici e ambientali, cui ora appartiene il bar, ha eseguito un meticoloso restauro e il locale è di nuovo un posto meraviglioso per sorseggiare una pinta di Guinness e assaggiare le ostriche di Strangford Lough.

Sopra: *il Crown Liquor Saloon, costruito nel 1885, e le sue stravaganti decorazioni esterne e interne* (sotto).

Pottinger's Entry

Gli stretti passaggi che conducono fuori da **High Street** e **Ann Street** sono detti "entry" e seguendoli si giunge ad alcuni dei migliori pub: il **Morning Star**, in **Pottinger's Entry**, la **White Tavern**, il più antico pub di Belfast, in **Wine Cellar Entry**, e il **Globe**, in **Joy's Entry**.

L'Hotel Europa

L'**Europa** si è guadagnato la poco simpatica reputazione di albergo europeo nel quale sono esplose più bombe. Sottoposto ad una radicale ristrutturazione, è oggi il luogo più alla moda dove andare a bere, e le celebrità in visita a Belfast scelgono invariabilmente di scendere qui.

Stormont

Stormont, un elegante palazzo neoclassico, ospitava una volta il parlamento dell'Irlanda del Nord. Inaugurato nel 1932 dal principe di Galles, fu progettato da Sir Arnold Thornley nella stessa pietra di Portland che abbellisce il Municipio, e poggia su granito estratto dai monti del Mourne. Chiude un viale lungo quasi due chilometri posto al centro di un grande parco a circa dieci chilometri da Belfast.

Sopra: *Pottinger's Entry è solo uno degli stretti vicoli che si dipartono da High Street, molti dei quali nascondono ottimi pub. Sotto, a sinistra: l'Hotel Europa, che ha la triste reputazione di essere l'albergo che ha subito più attentati dinamitardi in Europa. A destra: un viale lungo quasi due chilometri conduce all'elegante porticato bianco degli edifici del Parlamento, a Stormont, a est di Belfast.*

Dipinti murali politici

Come a Derry, a Belfast, nelle zone operaie, sono numerosi i dipinti murali a contenuto politico. Nella **Belfast occidentale** murales cattolici in **Falls Road**, **Shaw's Road** e **Beechmont Avenue** rappresentano scene della carestia del 1845-48, la personificazione della *"Saoirse"*, ossia la "Libertà", e altri simboli della fede repubblicana. La tradizione protestante nelle pitture murali è significativamente diversa, con una simbologia meno complessa, come bandiere, slogan della Red Hand of Ulster, anche se occasionalmente appare King Billy, come familiarmente viene chiamato Guglielmo d'Orange, in sella al suo cavallo bianco alla battaglia del Boyne. Questi si trovano in **Shankill** e **Crumlin Road** e lungo **Sandy Row**.

Alla pagina accanto: *Mount Stewart House*, residenza del famigerato visconte di Castlereagh. Al centro: *"Hambletonian"*, di George Stubbs. Sotto: la sala da pranzo di Mount Stewart, con un gruppo di sedie stile Impero usate dai delegati al Congresso di Vienna nel 1815.

In questa pagina: *dipinti murali cattolici eseguiti su muri ciechi* (sopra e al centro), e *dipinti murali lealisti* (sotto).

DOWN

La verde e pianeggiante campagna della **Penisola di Ards** nella **contea di Down** abbraccia l'enorme distesa dello **Strangford Lough**, dove San Patrizio approdò per la prima volta. È un'area ricca di resti preistorici e siti paleocristiani come l'**abbazia di Inch** e quella di **Grey**, oltre alle maestose residenze di campagna di **Castle Ward House** e **Rowallane**. Ancora più a sud le scabre **montagne del Mourne** segnano il confine con la Repubblica d'Irlanda.

Mount Stewart House

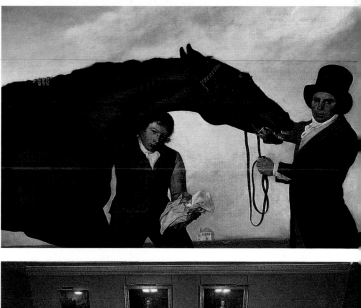

Mount Stewart House è famosa per essere la villa del visconte Castlereagh, il maggior responsabile della stesura dell'Atto d'Unione del 1800 che unì il Parlamento irlandese a quello di Westminster. La casa fu costruita intorno al 1740 in posizione dominante sullo Strangford Lough, e ai primi dell'Ottocento le furono aggiunte alcune parti.

Mount Stewart possiede uno dei dipinti più famosi d'Irlanda, "Hambletonian" di George Stubbs. Il purosangue è mostrato mentre viene accarezzato sul naso da uno stalliere dopo la vittoria nella corsa di Newmarket nel 1799. La sala da pranzo contiene ventidue sedie stile Impero usate dai delegati al Congresso di Vienna nel 1815: sullo schienale e la seduta è raffigurato l'emblema di ciascun delegato e della nazione da lui rappresentata.

Ma il pezzo forte è il giardino. Oltre allo stupefacente **Tempio dei Venti**, una sala per banchetti costruita sul lago verso il 1780, c'è il giardino all'italiana impiantato negli anni '20. Riscaldate da un insolito microclima umido, le piante rare del giardino crescono a una velocità fenomenale.

121

Newcastle

Alla base del monte **Slieve Donard**, la vetta più alta della catena del Mourne, annidato tra le colline pedemontane, **Newcastle** è un centro turistico marino in piena espansione e un buon punto di partenza per esplorare i monti e i parchi che la circondano. La curva sabbiosa della sua spiaggia, le piscine, i parchi giochi e le famose gelaterie ne fanno il paradiso dei bambini.

Greencastle

Questo forte in rovina sulla sponda nord del **Carlingford Lough** sorveglia l'altra sentinella sua compagna, il **Carlingford Castle** sull'altra sponda. Furono entrambi costruiti all'incirca nello stesso periodo nel XIII secolo. Affidato dalla Corona ai de Burghs, conti dell'Ulster, **Greencastle** subì a più riprese gli attacchi degli Irlandesi. Fu pressappoco quando Gerald, ottavo conte di Kildare, ricevette il castello come ricompensa per aver sedato una ribellione nel 1505 che questo fu ingrandito. Quando egli cadde in disgrazia, il castello fu passato nel 1552, insieme al suo gemello Carlingford Castle, a Sir Nicholas Bagnall. Egli lo adattò per la sua famiglia, rimpiazzando le feritoie con grandi finestre e aggiungendo un camino. Oggi è proprietà dello stato.

Sopra: la località balneare di Newcastle all'ombra della Slieve Donard, la più alta delle montagne del Mourne.
Sotto: Greencastle, una fortezza in rovina del XIII secolo che controlla il lato nord del Carlingford Lough.

Sopra: *una veduta delle montagne del Mourne, una selvaggia catena di picchi granitici spesso coperti dalla nebbia, che danno asilo al bacino artificiale della Silent Valley, la risorsa idrica di Belfast, e a isolati cottage sparsi qua e là.*
Sotto: *il famoso Mourne Wall.*

Le montagne del Mourne

Le montagne del Mourne si stendono da **Newcastle** a sud al **Carlingford Lough** a ovest. La vita di queste grandi colline granitiche iniziò 65 milioni di anni fa, quando masse di roccia fusa furono spinte verso l'altro attraverso la crosta terrestre. Oggi esse sono coperte di brughiera montana, ravvivata da erica e ginestra spinosa, e verso il sud della catena, di prateria ricca di un'ampia gamma di piante da fiore. In certe sacche si trovano vecchi boschi di noccioli, betulle e agrifoglio, mentre altre sono state rimboschite dallo stato con conifere. Le balze e i dirupi isolati dei Mourne sono importanti siti di nidificazione per uccelli da preda e vi sono stati avvistati falchi pellegrini, poiane e gheppi.

Uno dei più notevoli interventi dell'uomo sui Mourne è il **Mourne Wall**, un muro a secco simile a quelli che si trovano sulle isole Aran, fatto senza usare la calce per tenere insieme i massi. Gli elementi che costituiscono questi muri ingannevolmente possenti, in realtà sorretti da un delicato equilibrio, sono solo l'abilità dello scalpellino e un'accurata scelta delle pietre. Con un percorso di 32,5 chilometri che corre lungo tutte le vette più

In questa pagina, sopra: *il mosaico di piccoli appezzamenti divisi da muri a secco ricorda l'Irlanda occidentale. Sotto: erica, ginestra spinosa e saggina ravvivano di colori le alte brughiere delle montagne del Mourne.*

Alla pagina accanto: *la Silent Valley, annidata tra i picchi delle montagne del Mourne.*

alte, il Mourne Wall è uno dei più spettacolari esempi di muro a secco dell'Irlanda. Fatto di massi granitici squadrati disposti fino a un'altezza di 2,4 m, ha richiesto ottant'anni per essere costruito.

La gente del posto chiama i Mourne "timidi" perché sono spesso nascosti tra le nubi che si addensano attorno alle loro vette e li rendono raramente visibili. La cosa non scoraggia comunque gli appassionati di montagna che vengono nella zona. Gli scalatori amano arrampicarsi lentamente su questi dirupi e la splendida vista che nelle giornate chiare si gode dalla vetta. Nessuna delle ascese è troppo impegnativa: la vetta più alta, lo **Slieve Donard**, raggiunge gli 852 m. Una delle più belle passeggiate in questi monti inizia subito alle spalle della cittadina di mare di **Annalong** e raggiunge la diga di **Ben Crom**, sopra la **Silent Valley**, un bacino enorme che fornisce l'acqua necessaria a Belfast. Da Ben Crom si può distendere lo sguardo sulla campagna in ogni direzione: verso l'interno fino alla campagna collinosa dell'Armagh, a sud oltre il Carlingford Lough, a nord fino a Belfast e oltre, e sul mare.

In questa pagina, a sinistra: *come Roma, Armagh sorge su sette colli*. A destra: *Navan Fort, risalente al 2000 a.C., è ritenuto il luogo dove sorgeva la leggendaria Emain Macha, la capitale dell'Ulster e corte degli eroici Cavalieri del Ramo Rosso.*

Pagina seguente: *la cattedrale cattolica di St Patrick a Armagh.*

ARMAGH

Famosa per essere la capitale religiosa dell'Irlanda – tanto la Chiesa anglicana che quella cattolica hanno qui il loro centro direttivo – e ricca di storia, **Armagh** è nondimeno una città sorprendentemente compatta. In posizione elevata sulla cima di una collina o infilate tra le strade ci sono due cattedrali, un "planetarium", una biblioteca dotatissima di prime edizione e libri rari, e una elegante passeggiata georgiana, mentre a pochi chilometri fuori città si trovano i vecchi ruderi del mitico Navan Fort.

La cattedrale cattolica di St Patrick

Armagh è strettamente legata a San Patrizio, santo patrono d'Irlanda. Dopo aver fatto vela entro lo Strangford Lough, egli sbarcò nel Down e si ritiene che abbia fondato la sua prima chiesa ad Armagh nel 445, sulla collina dove ora sorge la cattedrale della Chiesa d'Irlanda. Dall'esterno, la cattedrale cattolica ha un aspetto piuttosto semplice, una delle tante chiese neogotiche ottocentesche poste su una collinetta. Ma uno sguardo al grande e spazioso interno rivela uno splendido capolavoro di arte musiva.

Navan Fort

Una volta il monticello erboso di **Navan Fort** era, si crede, **Emain Macha**, l'antica capitale dell'**Ulster**. Qui avevano base i *Cavalieri del Ramo Rosso*, con il loro grande guerriero Cúchulainn, che morì difendendo l'Ulster. Si pensa che abbiano regnato qui fino al 332, quando Navan Fort fu raso al suolo e i guerrieri furono dispersi nelle regioni selvagge del Down e a nord, nell'Antrim. Le loro gesta eroiche, tramandate oralmente per secoli, sopravvivono nelle storie del *Ciclo dell'Ulster*.

INDICE

Progetto e ideazione editoriale: Casa Editrice Bonechi
Direttore editoriale: Monica Bonechi
Copertina, ricerca iconografica e progetto grafico: Sonia Gottardo
Impaginazione: Fiamma Tortoli
Cartina: Studio Grafico Daniela Mariani, Pistoia
Redazione: Simonetta Giorgi

Testi: Frances Power
Traduzione: Giorgio Bizzi

© Copyright by Casa Editrice Bonechi, Via Cairoli 18/b, 50131 Firenze, Italia. E-mail: bonechi@bonechi.it - Internet: www.bonechi.com

ISBN 978-88-8029-771-0

Printed In Italy, 2014

Le fotografie appartengono all'Archivio della Casa Editrice Bonechi e sono state realizzate da Ghigo Roli.
Fotografie a pagina 102 by courtesy of The Ulster History Park.
Fotografie a pagina 28 (in alto e in basso al centro) by courtesy of Guinness Storehouse e a pagina 30 (in basso a destra) by courtesy of Emma Byrne.